HORNBLOWER

Я нашел «Хорнблауэра» восхитительным и чрезвычайно увлекательным.

Уинстон Черчилль

«Хорнблауэр» — величайшая из серий в жанре военно-исторической прозы. Прекрасное путешествие, описанное удивительным языком, в обществе лучшего из спутников — Горацио Хорнблауэра.

Бернард Корнуэлл,
автор книг о стрелке Шарпе

Хорнблауэр — это Гамлет на боевом корабле.

NEW YORK TIMES

HORNBLOWER

САГА О ХОРНБЛАУЭРЕ

Мичман Хорнблауэр

Лейтенант Хорнблауэр

Хорнблауэр и «Отчаянный»

Хорнблауэр и «Атропа»

Все по местам!

Линейный корабль

Под стягом победным

Коммодор

Лорд Хорнблауэр

Адмирал Хорнблауэр в Вест-Индии

Хорнблауэр. Последняя встреча

HORNBLOWER

С. С. ФОРЕСТЕР

ХОРНБЛАУЭР

ЛИНЕЙНЫЙ КОРАБЛЬ

Москва
«Вече»

УДК 821-111-311.3
ББК 84(4Вел)
Ф79

Перевод с английского
Екатерины Доброхотовой-Майковой

Cecil Scott Forester
A Ship of the Line
1938

Форестер, С.С.

Ф79 Линейный корабль : роман / С.С. Форестер; [пер. с англ. Е.М. Доброхотовой-Майковой]. — М.: Вече, 2014. — 288 с. — (Hornblower).

ISBN 978-5-4444-0551-2

Знак информационной продукции **12+**

Корсиканский тиран снова решил подразнить британского льва. Как следствие — спешный рекрутский набор молодых бойцов на 74-пушечный «Сатерленд» под командованием бесстрашного капитана Горацио Хорнблауэра. Ну какой настоящий британец устоит перед призывом разделить грядущие победы? И хотя желающих нашлось мало, Хорнблауэр, чья личная жизнь на берегу трещит по швам, мечтает только об одном — поскорее уйти в море, а там — будь что будет. Все одно его кораблю назначено стать разменной монетой, острием копья на главной линии атаки. А если повезет выжить — десант на сушу и Каталонская дорога, усеянная виселицами Бонапарта. Перспектива в общем-то неплохая.

УДК 821-111-311.3
ББК 84(4Вел)

ISBN 978-5-4444-0551-2

I

Капитан Горацио Хорнблауэр держал в руках свежий, только что из типографии, оттиск.

«Ко всем отважным МОЛОДЫМ ЛЮДЯМ, — читал он на измазанном краской листке, — к МОРЯКАМ и тем, кто еще не ступал на борт КОРАБЛЯ! Ко всем, кто жаждет сразиться за Свободу и Отечество с КОРСИКАНСКИМ ТИРАНОМ, опрометчиво вздумавшим тягаться с БРИТАНСКИМ ЛЬВОМ! Его Величества двухпалубный семидесятичетырехпушечный корабль «Сатерленд» сейчас набирает в Плимуте команду, и на сегодня еще остается несколько вакансий! Кораблем командует капитан Горацио Хорнблауэр, недавно вернувшийся из ПОБЕДОНОСНОГО ПОХОДА в ЮЖНОЕ МОРЕ, где его тридцатишестипушечный фрегат «Лидия» разнес в щепки и потопил испанский двухпалубный корабль «Нативидад», вдвое более мощный. Офицеры, унтер-офицеры и матросы с «Лидии» единодушно последовали за ним на «Сатерленд». Какая МОРСКАЯ ДУША устоит перед призывом разделить ГРЯДУЩИЕ ПОБЕДЫ с командой беззаветных удальцов? Кто докажет наглым мусью, что моря принадлежат БРИТАНИИ и туда не смеет совать нос ни один презренный лягушатник? Кто желает набить карманы трофейными ЗОЛОТЫМИ ЛУИДОРАМИ? Каждый вечер на корабле играют скрипачи и устраиваются танцы, полноценное ПИТАНИЕ, отличный ХЛЕБ, и ГРОГ по БУДНЯМ и в ВОСКРЕСЕНЬЕ, а также жалованье, назначенное ЕГО ВСЕМИЛОСТИВЕЙШИМ ВЕЛИЧЕСТВОМ КОРОЛЕМ ГЕОРГОМ! Рядом с местом, где читается это воззвание, доблестный доброволец найдет ОФИЦЕРА с корабля Его Величества «Сатерленд», который и завербует его на СЛАВНОЕ ПОПРИЩЕ».

Хорнблауэр читал, борясь с ощущением собственного бессилия. Такого рода призывы десятками звучат на каждой ярмарочной площади. Где ему залучить рекрутов на скучный линейный корабль, когда по всей стране рыщут в поисках матросов капитаны лихих фрегатов, чьи имена говорят сами за себя, а в воззваниях прямо сказано, сколько призовых денег выплачено в прошлую кампанию. Чтобы отправить за добровольцами четырех лейтенантов и десятка два матросов, придется потратить чуть не все скопленное за два года жалованье, и как бы эти деньги не оказались выброшены зазря.

Но что-то делать надо. С «Лидии» он забрал двести первоклассных матросов. (Афишка умалчивала, что после почти двухлетнего плавания их насильно перевезли на «Сатерленд», не дав даже разок ступить на английскую почву.) И все равно требуется еще пятьдесят опытных моряков, двести новичков и юнг. Портовое управление не нашло ровным счетом никого. Если он не раздобудет людей, то будет отстранен от командования и до конца жизни останется на половинном жалованье — восемь шиллингов в день. Он не знал, насколько угоден Адмиралтейству, и по складу характера склонен был полагать, что его назначение висит на волоске.

Хорнблауэр постучал по оттиску карандашом и чертыхнулся от досады. Глупые, бессмысленные ругательства сорвались с его языка. Но он старался произносить их тихо — за двустворчатой дверью дремала в спальне Мария, будить ее не хотелось. Мария подозревала, что беременна (хотя определенно говорить было еще рано), и ее докучная нежность уже встала Хорнблауэру поперек горла. При мысли о Марии раздражение усилилось: его злил берег, необходимость набирать команду, душная гостиная, утрата вошедшей уже в привычку независимости. Он раздраженно схватил треуголку и потихоньку вышел. В прихожей ждал со шляпой в руке типографский рассыльный. Хорнблауэр вернул ему оттиск, коротко велел напечатать двадцать дюжин и вышел на шумную улицу.

Сборщик податей у ворот на Полупенсовый мост взглянул на мундир и пропустил бесплатно, лодочники на пристани увидели, что идет командир «Сатерленда» и постарались привлечь его внимание — капитаны обычно щедро платили за перевоз вдоль всего устья Теймара. Хорнблауэр забрался в лодку. Он был мрачен и за все время, что гребцы отваливали и вели лодку между стоящими там и сям кораблями, не проронил ни слова. Загребной переложил за щеку жевательный табак и приготовился отпустить какое-нибудь ничего не значащее замечание, но, увидев мрачно нахмуренное чело, осекся и сконфуженно кашлянул. Хорнблауэр, не удостоивший его ни единым взглядом, тем не менее боковым зрением заметил смену чувств на лице загребного и немало позабавился. Он видел, как играют мускулы на загорелых руках. На запястьях — татуировка, в мочке левого уха — золотое кольцо. Прежде чем сделаться лодочником, этот человек явно был моряком.

Хорнблауэр страстно желал силой втащить его на борт «Сатерленда», ему бы каких-нибудь полсотни моряков — и можно больше не тревожиться. Но этот малый наверняка освобожден от службы и имеет при себе документ —

иначе не посмел бы промышлять в Плимуте, куда четверть британского флота заходит в поисках матросов.

И Провиантский двор, и док, проплывавшие мимо лодки полны здоровыми, сильными людьми, из которых половина моряки — корабелы и такелажники. Хорнблауэр глядел на них с бессильным вожделением кота, созерцающего золотую рыбку в аквариуме. Мимо медленно проплывали канатный двор и мачтовая мастерская, плашкоут для установки мачт и дымящиеся трубы пекарни. Вот и «Сатерленд» покачивается на якорях за мысом Бул. Хорнблауэр глядел на него поверх мелкой зыби, чувствуя разом гордость и отвращение к своему новому кораблю. Ему странен был округлый нос «Сатерленда», непохожий на привычные бикхеды[1] линейных кораблей британской постройки. Неуклюжие обводы всякий раз напоминали, что строители «Сатерленда» пожертвовали мореходными качествами ради малой осадки. Все, кроме английских мачт, выдавало голландское происхождение корабля, рассчитанного на глинистые отмели и мелководные заливы Ваддензее. Первоначально «Сатерленд» именовался «Эйндрахт», был захвачен у Тексела и теперь, переоснащенный, являл собой самый неприглядный и непривлекательный двухмачтовый корабль в реестре британского флота.

Хорнблауэр глядел на свой корабль с неприязнью, которую еще подхлестывала мысль о нехватке матросов. Упаси бог лавировать на нем от подветренного берега. «Сатерленд» будет дрейфовать, как бумажный кораблик. А последующему трибуналу не докажешь, что судно было совершенно немореходно.

— Суши весла! — бросил он лодочникам.

Те перестали грести, скрип весел в уключинах затих, сразу слышнее стало, как плещет о борт вода. Лодка при-

[1] См. краткий морской словарь в конце книги.

плясывала на волнах, Хорнблауэр продолжал недовольно оглядывать корабль. «Сатерленд» был свежевыкрашен, но, увы, за казенный счет — скучной желтой и черной краской без единой белой или алой полосы. Богатый капитан и первый лейтенант покрыли бы недостающие расходы из собственного кармана, им бы еще и позолоту навели, но у Хорнблауэра на позолоту не было денег. Буш содержит на свое жалованье мать и четырех сестер и тоже раскошелиться не мог, даже ради карьеры. Иные капитаны не мытьем, так катаньем выпросили бы в доке краску — да и позолоту, кстати, тоже. Хорнблауэр не умел выпрашивать — за всю позолоту в мире он не стал бы умасливать какого-нибудь писаришку, льстить и похлопывать по плечу. И дело тут не в уважении к принципам, а в самоуважении.

С палубы его заметили. Засвистели дудки — на корабле готовились встречать капитана. Однако он не торопился. «Сатерленд», еще не загруженный припасами, осел неглубоко, и над водой виднелась широкая полоса медной обшивки. Слава богу, хоть медь новая. На фордевинд уродливый корабль пойдет достаточно ходко. Ветер развернул «Сатерленд» поперек прилива, обратив его к Хорнблауэру кормовым заострением корпуса. Разглядывая обводы «Сатерленда», Хорнблауэр думал, как выжать из него все возможное. Пригождался двадцатидвухлетний морской опыт. Он уже представил мысленно диаграмму приложенных к кораблю сил — давление ветра на паруса, боковое сопротивление киля, трение обшивки, удары волн о нос, прикидывал, какие испытания проведет в первую очередь, как наклонит мачты и удифферентует судно поначалу, еще до этих испытаний. И тут же с горечью вспомнил: что толку думать об этом, пока у него нет матросов!

— Весла на воду! — рявкнул он лодочникам, и те вновь принялись грести.

— Суши весла, Джек, — сказал баковый загребному через несколько мгновений, оглядываясь через плечо.

Лодка развернулась под кормой «Сатерленда» — уж эти ребята знают, как подвести лодку к военному кораблю. Теперь Хорнблауэр видел кормовую галерею — чуть ли не единственное, что находил привлекательным в своем новом корабле. К счастью, при ремонте в доке ее не убрали, как у других линейных кораблей. На этой галерее можно будет в полном одиночестве наслаждаться ветром, морем и солнцем. Можно будет поставить парусиновый стул. Можно будет даже прохаживаться вдали от посторонних взоров — галерея протянулась на целых восемнадцать футов — и пригибаться особенно низко не надо. Хорнблауэр мечтал, как после утомительных сборов окажется в море, как будет расхаживать по приватной кормовой галерее и как наконец чуть-чуть расслабится. Однако без пополнения эти мечты могут так и остаться мечтами. Надо где-то найти матросов.

Хорнблауэр нащупал в заднем кармане серебряную монетку. Жалко было швыряться серебром, но он боялся уступить в щедрости другим капитанам — они-то наверняка расплачиваются не скупясь.

— Спасибо, сэр. Спасибо, — сказал загребной, козыряя.

Хорнблауэр поднялся по трапу и дальше через входной порт, покрашенный грязновато-желтой охрой поверх облезлой, голландской еще позолоты. Дико засвистели боцманские дудки, морские пехотинцы взяли на караул, фалрепные вытянулись по струнке. Вахту нес подштурман Грей — лейтенанты во время стоянки в порту не дежурят. Хорнблауэр отсалютовал шканцам, Грей козырнул. До разговора Хорнблауэр, по-прежнему строго соблюдавший

себя от излишней болтливости, не снизошел, хотя Грей был его любимцем. Он молча огляделся.

Натягивали такелаж, и по всей палубе были разложены тросы, но Хорнблауэр различал за мнимым беспорядком стройную, отлаженную систему. Бухты троса на палубе, кучки работающих матросов, на полубаке команда парусного мастера сшивает марсель — все производило впечатление неразберихи, но то была неразбериха организованная. Строгие приказы, которые он отдал своим офицерам, пошли на пользу. Команда «Лидии», когда ее перевезли на «Сатерленд», не дав и дня погулять на берегу, чуть не взбунтовалась — теперь она снова управляема.

— Старшина судовой полиции хочет доложить, сэр, — сказал Грей.

— Пошлите за ним, — отозвался Хорнблауэр.

Старшина судовой полиции, некто Прайс, отвечал за поддержание дисциплины на корабле. Хорнблауэр его еще не видел. Он решил, что речь пойдет о наказании за служебный проступок, и со вздохом придал лицу выражение неумолимой суровости. Возможно, придется назначать порку. Хорнблауэру претила мысль о крови и мучениях, но впереди долгое плавание, команда на взводе, и, если потребуется, надо драть без всякого снисхождения.

Прайс появился на переходном мостике во главе необычной процессии. Тридцать человек шли, попарно скованные наручниками, только последние двое заунывно звенели ножными кандалами. Почти все были в лохмотьях, ничем решительно не напоминавших моряцкую одежду. У многих лохмотья были из дерюги, у других — из плиса, и, приглядевшись повнимательнее, Хорнблауэр угадал на одном нечто, прежде бывшее молескиновыми штанами. А вот на его напарнике явно когда-то был приличный костюм — черный суконный, теперь он порвался, и в прореху на плече выглядывало белое тело. У всех были всклокоченные бороды — черные, рыжие, желтые и сивые, у всех, кроме лысых, торчали в разные стороны грязные космы. Два суровых капрала замыкали шествие.

— Стоять, — приказал Прайс. — Шапки долой!

Процессия замялась и остановилась. Одни тупо смотрели на палубу, другие испуганно озирались.

— Это что за черт? — резко осведомился Хорнблауэр.

— Новобранцы, сэр, — сказал старшина. — Солдаты их привели. Я расписался в приемке.

— Откуда они их взяли? — так же резко продолжал Хорнблауэр.

— С выездной сессии суда в Эксетере, сэр, — произнес Прайс, извлекая из кармана список. — Четверо — браконьеры. Уэйтс — тот, что в молескиновых штанах, сэр, — воровал овец. Вот этот в черном — двоеженец, сэр, — прежде был приказчиком у пивовара. Остальные все больше воры, кроме этих двух — они поджигали стога, да тех двух в кандалах. Их осудили за разбой.

— Кхе-хм. — Хорнблауэр на мгновение лишился дара речи. Новобранцы, моргая, смотрели на него — кто с надеждой, кто с ненавистью, кто равнодушно. Виселице, тюрьме или высылке в колонии они предпочли флот. Ясно, почему они в таком плачевном состоянии — последние несколько месяцев они провели в тюрьме. Славное пополненьице — махровые смутьяны, хитрые лодыри, придурковатые мужланы. Но это — его матросы. Они напуганы, угрюмы, встревожены. Надо расположить их к себе. Как это сделать, подсказало природное человеколюбие.

— Почему они еще в наручниках? — произнес он громко. — Немедленно освободите их.

— Прошу прощения, сэр, — извинился Прайс. — Я не посмел без приказа, вестимо, кто они и откуда.

— Это не имеет никакого значения, — отрезал Хорнблауэр. — Они завербовались на королевскую службу. На моем корабле наручники надевают только по моему приказу.

При этом Хорнблауэр смотрел на новобранцев, а обращался исключительно к Прайсу — он знал, что так произведет большее впечатление, хотя и презирал себя за риторические уловки.

— И чтобы я больше не видел моих матросов под конвоем! — прорычал он в сердцах. — Это новобранцы на почетной службе, их ждет достойное будущее. Я попрошу вас принять это к сведению. Теперь найдите кого-нибудь из команды баталера и позаботьтесь, чтобы рекрутам выдали приличную одежду.

Вообще-то, не полагается отчитывать офицера перед матросами, но Хорнблауэр знал, что несильно повредил старшине судовой полиции. Новички так и так его возненавидят — за то ему и платят, чтобы вся команда вымещала на нем злость. Теперь Хорнблауэр обратился к самим новобранцам:

— Тому, кто старательно исполняет свой долг, на этом корабле страшиться нечего. Его ждет блестящее будущее. Ну-ка я погляжу, какими ладными вы будете в новой одежде, когда смоете с себя последние напоминания о месте, откуда прибыли. Вольно.

Сдается, он покорил этих глупцов. Унылые лица озарились надеждой — впервые за долгие месяцы, если не впервые в жизни, с ними обошлись по-человечески, а не по-скотски. Хорнблауэр проводил их взглядом. Бедолаги. Они просчитались, променяв тюрьму на флот. Ну что ж, это тридцать из недостающих ему двухсот пятидесяти живых автоматов, которые будут тянуть тросы и налегать на вымбовки шпиля, когда «Сатерленду» придет время выйти в море.

Торопливо подошел лейтенант Буш и откозырял капитану. Суровое загорелое лицо с неожиданно-голубыми глазами осветилось столь же несуразной улыбкой. Хорнблауэра кольнуло смутное, похожее на стыд чувство. Надо же, Буш ему рад! Невероятно, но им действительно восхищается, его, можно сказать, обожает этот безупречный служака, этот бесстрашный боец, кладезь разнообразных достоинств, которых Хорнблауэр в себе не находил.

— Доброе утро, Буш, — сказал Хорнблауэр. — Пополнение видели?

— Нет, сэр. Я обходил полуденным дозором на шлюпке и только что вернулся. Откуда они?

Хорнблауэр рассказал. Буш довольно потер руки.

— Тридцать! — воскликнул он. — Не ожидал. Думал, из Эксетера пришлют человек двенадцать. А сегодня открывается выездная сессия в Бодмине. Дай-то бог, чтобы они прислали еще тридцать.

— Марсовых нам из Бодмина не пришлют, — сказал Хорнблауэр, донельзя успокоенный тем, что Буш столь оптимистично отнесся к появлению в команде осужденных.

— Да, сэр. Зато на этой неделе ждут Вест-Индский конвой. Сотни две матросов с него загребут. По справедливости нам должно достаться человек двадцать.

— М-м, — протянул Хорнблауэр и отвернулся. Маловероятно, что адмирал порта пойдет ему навстречу. Не того он сорта капитан — не самый выдающийся, но и не самый нуждающийся в помощи. — Я пойду вниз.

Разговор благополучно переменился.

— Женщины бузят, сэр, — сказал Буш. — Я, если не возражаете, лучше пойду с вами.

Сквозь приоткрытые пушечные порты на нижний гондек тускло сочился свет, освещая непривычную картину. С полсотни женщин кучками сидели на палубе и громко переговаривались. Три или четыре, приподнявшись на локте с гамаков, глазели на остальных. Две через орудийные порты торговались с гребцами береговых лодок; чтобы матросы не сбежали, порты затянули сетками, довольно, впрочем, редкими — сквозь них легко проходила рука и можно было что-нибудь купить. Еще две скандалили. У каждой за спиной собралась кучка болельщиц. Женщины различались решительно всем. Одна, смуглая, темноволосая, такая высокая, что ей приходилось сутулиться под пятифутовыми палубными бимсами, грозно наступала, другая — приземистая белокурая крепышка, явно не собиралась отступать.

— Да, сказала, — не унималась она. — И еще повторю. Не больно ты меня напужала! Говоришь, ты — миссис Дасон? Так тебе и поверили!

— А-а! — завопила оскорбленная брюнетка. Она нагнулась и с остервенением вцепилась противнице в волосы, замотала из стороны в сторону — того и гляди оторвет голову. Блондинка, не растерявшись, принялась царапаться и лупить ногами. Юбки закружились водоворотом, но тут подала голос женщина с гамака:

— Стой же, дуры сумасшедшие! Капитан идет.

Они отскочили в стороны, запыхавшиеся и встрепанные. Все взгляды обратились на Хорнблауэра, который, пригибаясь под верхней палубой, спускался в полумрак.

— Первую же, кто затеет драку, отправлю на берег! — рявкнул он.

Брюнетка отбросила с лица волосы и презрительно фыркнула.

— Мне начхать, — сказала она. — Я сама уйду. На этом нищем корабле ни фартинга не получишь.

Слова ее вызвали одобрительный гул — похоже, она выразила общее мнение.

— Заплатят нашим мужьям жалованье или нет? — пискнула одна из лежебок.

— Молчать! — взорвался Буш. Он выступил вперед, желая оградить капитана от незаслуженных оскорблений — он-то знал, что жалованье матросам задержало правительство. — Вот ты — почему лежишь после восьми склянок?

Но попытка контрнаступления провалилась.

— Если хотите, лейтенант, я встану, — сказала женщина, сбрасывая одеяло и спрыгивая на палубу. — Кофту я обменяла на колбасу для моего Тома, юбку — на пиво. Мне в рубахе ходить, а, лейтенант?

По палубе пробежал смешок.

— Марш обратно и веди себя пристойно, — торопливо выговорил вспыхнувший от смущения Буш.

Хорнблауэр тоже смеялся — он, в отличие от своего первого лейтенанта, был женат, и потому, наверное, не испугался полуголой женщины.

— Не буду я пристойной, — сказала та, закидывая голые ноги на койку и прикрывая их одеялом, — пока моему Тому не заплатят что причитается.

— А даже и заплатят, — фыркнула блондинка, — чего он с ними делать будет без увольнительной? Отдаст ворюге-маркитанту за четверть галлона!

— Пять фунтов за два года! — добавила другая. — А я на втором месяце.

— Отставить разговоры! — сказал Буш.

Хорнблауэр отступил с поля боя, забыв, зачем спускался вниз. Не может он говорить с женщинами о жалованье. С их мужьями обошлись возмутительно, перевезли, как заключенных, с одного корабля на другой, лишь подразнив близостью берега, и жены (а среди них наверняка есть и законные жены, хотя адмиралтейские правила не требуют в данном случае документа о браке, только устное заверение) негодуют вполне справедливо. Никто, даже Буш, не знает, что выданные команде несколько гиней Хорнблауэр взял из собственного жалованья. Ему самому не осталось ничего, только офицерам на поездку за рекрутами.

Быть может, побуждаемый живым воображением и нелепой чувствительностью, он несколько преувеличивал тяготы матросской жизни. Его возмущала мысль об огромном блудилище внизу, где матросу положено восемнадцать дюймов, чтобы повесить койку, и его жене — восемнадцать дюймов, бок о бок в длинном ряду — мужья, жены, холостяки. Его коробило, что женщины питаются отвратительной матросской едой. Возможно, он недооценивал смягчающую силу привычки.

Он вынырнул из переднего люка на главную палубу. Его не ждали. Томсон, один из баковых старшин, как раз занимался новобранцами.

— Может, мы сделаем из вас моряков, — говорил он, — а может, и нет. Как пить дать, еще до Уэссана не дойдем, отправитесь за борт с ядром в ногах. Только ядрам перевод. Ну-ка давай под помпу, вшивота тюремная! Скидавай одежу, неча задницы прятать. Вот дойдет дело до кошек, мы и кожу с вас спустим...

— Прекратите, Томсон! — заорал Хорнблауэр в ярости.

По корабельному распорядку новобранцев должны избавить от вшей. Голые и дрожащие, они кучками толпились на палубе. Двоих брили наголо, человек десять уже прошли через эту процедуру — бледные после тюрьмы, они казались странно нездоровыми и какими-то неприкаянными. Томсон пытался загнать их под помпу для мытья палубы, которую качали двое ухмыляющихся матросов. Новобранцев трясло не столько от холода, сколько от страха: вероятно, никому из них прежде не доводилось мыться. Жалко было смотреть на них — напуганных предстоящим душем, зверскими понуканиями Томсона, незнакомой обстановкой.

Хорнблауэр пришел в ярость. Он не забыл унижения первых дней на флоте и ненавидел грубые окрики как любого рода бессмысленную жестокость. В отличие от многих собратьев по профессии, он не ставил себе целью сломать в подчиненных дух. Быть может, очень скоро эти самые новобранцы бодро и охотно пойдут на бой, даже на смерть, защищая в том числе и его репутацию, его будущее. Забитые, сломленные люди на это неспособны. Побрить и вымыть их надо, чтобы на корабле не завелись вши, клопы и блохи, но он не позволит без надобности стращать своих бесценных матросов. Любопытно, что Хорнблауэр, которому и в голову не приходило вообразить себя вожаком, всегда предпочитал вести, а не подталкивать.

— Давайте под помпу, ребята, — сказал он ласково и, видя, что они все еще колеблются, добавил: — Когда мы выйдем в море, вы увидите под этой помпой меня, каждое утро в восемь склянок. Разве не так?

— Так точно, сэр, — в один голос отозвались матросы у помпы. Странная привычка капитана каждое утро окатываться холодной морской водой немало обсуждалась на борту «Лидии».

— Тогда давайте под помпу — и, может быть, вы все еще станете капитанами. Вот ты, Уэйтс, покажи-ка, что не боишься.

Какое везенье, что он не только вспомнил имя, но и признал бритым Уэйтса, овечьего вора в молескиновых штанах. Новобранцы заморгали на величественного капитана, который говорит ободряюще и не постеснялся сказать, что каждый день моется. Уэйтс собрался с духом, нырнул под брызжущий шланг и, задыхаясь, героически завертелся под холодной струей. Кто-то бросил ему кусок пемзы — потереться. Остальные проталкивались вперед, ожидая своей очереди: несчастные глупцы, подобно овцам, нуждались, чтобы кто-то двинулся первым; теперь все они рвутся туда же.

Хорнблауэр заметил на белом теле одного новобранца красную полосу. Он поманил Томсона в сторону.

— Вы даете волю линьку, Томсон, — сказал он.

Тот смущенно осклабился, перебирая в руках двухфутовый трос с узлом на конце — ими унтер-офицеры подбадривали матросов.

— Я не потерплю у себя на корабле унтер-офицера, который не знает, когда пускать в дело линек. Эти люди еще не пришли в себя, и битьем этого не поправишь. Еще одна такая оплошность, Томсон, и я вас разжалую, а тогда вы у меня будете каждый божий день драить гальюны. Так-то.

Томсон сник, напуганный неподдельным гневом капитана.

— Пожалуйста, приглядывайте за ним, мистер Буш, — добавил Хорнблауэр. — Иногда после выговора унтер-офицер вымещает обиду на подчиненных. Я этого не потерплю.

— Есть, сэр, — философски отвечал Буш. Он первый раз видел капитана, которого тревожит применение линьков.

Линьки — такая же часть флотской жизни, как плохая кормежка, восемнадцать дюймов на койку и подстерегающие в море опасности. Буш не понимал дисциплинарных методов Хорнблауэра. Он ужаснулся, когда тот прилюдно объявил, что моется под помпой — только сумасшедший может подталкивать матросов к мысли, что капитан слеплен из того же теста. Но прослужив под началом Хорнблауэра два года, Буш усвоил, что его странные методы иногда приносят поразительные плоды. Он готов был подчиняться ему — верно, хотя и слепо, покорно и в то же время восхищенно.

II

— Сэр, слуга из «Ангела» принес записку и ждет внизу, — сказала квартирная хозяйка, когда Хорнблауэр, в ответ на стук, пригласил ее войти в гостиную.

Хорнблауэр взял записку, взглянул на адрес и вздрогнул — он мгновенно узнал аккуратный женский почерк, которого не видел вот уже несколько месяцев. Сдерживая волнение, он обратился к жене:

— Записка адресована нам обоим, дорогая. Я открою?

— Да, конечно, — сказала Мария.

Хорнблауэр разорвал облатку и прочел:

Таверна «Ангел»

Плимут

4 мая 1810

Контр-адмирал сэр Перси и леди Барбара Лейтон сочтут за честь, если капитан и миссис Хорнблауэр ото-

бедают с ними по указанному адресу завтра, пятого числа, в четыре часа дня.

— Адмирал в «Ангеле». Он приглашает нас завтра на обед, — сообщил Хорнблауэр небрежно. Сердце так и прыгало у него в груди. — С ним леди Барбара. Мне кажется, дорогая, надо пойти.

Он передал записку жене.

— У меня с собой только голубое платье, — сказала Мария, прочитав.

Женщина, получив приглашение, первым делом думает, во что ей одеться. Хорнблауэр постарался сосредоточиться на проблеме голубого платья. Душа его пела. Леди Барбара здесь — их разделяют какие-то двести ярдов!

— Оно тебе очень идет, — сказал он. — Ты же знаешь, как я его люблю.

Может быть, очень дорогое, хорошо сшитое платье и пошло бы Марии, на которой все обычно сидело комом. Но пойти надо непременно, и лучше, если он немного подбодрит Марию. Неважно, каким будет ее наряд, лишь бы она сама думала, что одета со вкусом. Мария отвечала счастливой улыбкой. Хорнблауэру стало стыдно. Он чувствовал себя Иудой. Рядом с леди Барбарой Мария будет казаться жалкой замарашкой. Однако, пока он притворяется любящим супругом, она будет счастлива и ничего не заподозрит.

Он написал ответную записку и позвонил, чтобы ее забрали. Потом застегнул мундир.

— Мне надо на корабль, — сказал он.

Мария взглянула укоризненно, и ему стало больно. Да, она мечтала чудесно посидеть вдвоем, а он и впрямь не собирался сегодня на «Сатерленд». Это — только предлог, чтобы побыть в одиночестве и не слушать ее болтовню. Он уже предвкушал, как наедине с собой будет упиваться радостью. Леди Барбара в Плимуте, завтра он ее увидит! От волнения он не мог усидеть на месте.

Быстро шагая к причалу, Хорнблауэр только что не пел от радости. Он уже не раскаивался, вспоминая, как покорно смирилась Мария с его уходом — ей ли не знать, что капитан, снаряжающий в плаванье линейный корабль, не распоряжается своим временем.

Торопясь уединиться, он всю дорогу подгонял и без того вспотевших гребцов, едва ступив на палубу, торопливо козырнул шканцам и сбежал вниз, в вожделенное укрытие. Он мог бы заняться сотней дел, но душа не лежала ни к одному. Через загроможденную вещами каюту, дальше, через дверь в переборке на кормовую галерею. Здесь, недосягаемый для докучных помех извне, он облокотился о поручень и стал глядеть на воду.

Шел отлив, с северо-востока дул легкий ветерок. Кормовая галерея «Сатерленда» была обращена на юг, к реке. Слева копошился муравейник дока, впереди покачивались на блестящей воде корабли, там и сям шныряли береговые лодки. За крышами провиантского двора высился Эджкумский холм. Жаль только, что мыс Девил заслоняет город, а значит — и крышу гостиницы, которую леди Барбара освятила своим присутствием.

И все же она здесь, завтра он ее увидит. Хорнблауэр так сильно сжал поручень, что заныли пальцы. Он разжал их, отошел от поручня и заходил по галерее — голова опущена, чтобы не задевать верхнюю палубу, руки сцеплены за спиной. Боль, которую он испытал три недели назад, узнав, что леди Барбара вышла замуж за адмирала Лейтона, уже отпустила. Осталась только радость от мысли, что она его помнит. Некоторое время Хорнблауэр тешил себя надеждой: быть может, она последовала за мужем в Плимут нарочно, чтобы повидать его? Он не удосужился подумать, что ею, возможно, двигало желание подольше побыть с мужем. Это она уговорила сэра Перси немедленно послать приглашение — Хорнблауэр отказывался принять во внимание, что любой адмирал постарался бы как можно скорее взглянуть на незнакомого капитана, оказавшегося под его началом. Это она убедила сэра Перси просить за него в Адмиралтействе — тогда понятно, почему его назначили на «Сатерленд», не продержав в запасе и месяца. Именно леди Барбаре он обязан ощутимой прибавкой к жалованью — как капитан линейного корабля Хорнблауэр получал теперь на шестнадцать шиллингов больше.

Он уже прошел четвертую часть капитанского списка. Если его будут назначать так же аккуратно, то меньше чем через двадцать лет — то есть задолго до шестидесяти — он поднимет адмиральский флаг. А там пусть списывают в запас — с него вполне хватит адмиральского чина. На половинное адмиральское жалованье можно жить в Лондоне. Он найдет себе покровителя и пройдет в парламент. Будет жить в почете и довольстве. Почему бы нет? А леди Барбара его помнит, печется о нем, ищет встречи, несмотря на то что он так нелепо с ней обошелся. В нем вновь закипала радость.

Парившая на ветру чайка вдруг захлопала крыльями, пронзительно закричала прямо в лицо. Она бесцельно кричала и хлопала крыльями возле самой галереи, потом столь же бесцельно унеслась прочь. Хорнблауэр проводил ее взглядом, а когда вернулся к прерванной прогулке, то обнаружил, что нить рассуждений оборвалась. Отступившая было мысль о нехватке матросов вновь омрачила его сознание. Завтра он вынужден будет сознаться перед адмиралом, что не выполнил первейшую из капитанских обязанностей: на «Сатерленде» недостает ста пятидесяти матросов.

Может быть, Лейтон вовсе не хлопотал за него, и Хорнблауэра забросила в его эскадру неведомая причуда судьбы. Лейтон будет ревновать к нему жену, искать способы его погубить. Он отравит ему жизнь, доведет до умопомешательства, наконец, раздавит и добьется увольнения со службы — что адмиралу уничтожить капитана! Быть может, леди Барбара добилась его назначения в эскадру Лейтона, чтобы отомстить за прошлое. Хорнблауэра охватило отчаяние. Он готов был поверить в собственные фантастические домыслы.

Она догадалась, какая у него жена, и пригласила их нарочно, чтобы позлорадствовать. Завтрашний обед будет для него одним нескончаемым унижением. Жалованье ему выплатят не раньше чем дней через десять — иначе он сегодня же повез бы Марию выбирать платье. Лучшее платье в Плимуте. Хотя чего стоит лучшее плимутское платье в глазах графской дочери, чьи туалеты, без сомнения, поступают прямиком из Парижа? Нет у него двадцати фунтов, он только что отослал всех четырех лейтенантов — Буша, Джерарда, Рейнера и Хукера — вербовать новобранцев. Они взяли с собой тридцать матросов — последних, надо сказать, надежных матросов на корабле. Может быть, из-за этого на нижней палубе начнутся беспорядки — может быть, завтра, когда он будет обедать у адмирала, вспыхнет мятеж.

Довольно растравлять душу. Хорнблауэр раздраженно вскинул голову и с размаху ударился затылком о палубный бимс. Тогда он сжал кулаки и проклял службу, как проклинал ее тысячи раз до того. И тут же рассмеялся — если бы не умение смеяться над собой, он давно бы пополнил ряды сумасшедших капитанов. Овладев расходившимися чувствами, он заставил себя всерьез подумать о будущем.

Приказы, согласно которым «Сатерленд» поступал в эскадру Лейтона, коротко извещали, что эскадра направляется в западное Средиземноморье. Очень любезно со стороны лордов Адмиралтейства предупредить хотя бы об этом. Случалось, капитан снаряжался в Вест-Индию и узнавал, что прикомандирован к балтийскому конвою. Западное Средиземноморье может означать блокаду Тулона, оборону Сицилии, участие в испанской войне. По крайней мере веселее, чем караулить Брест, хотя и шансов на призовые деньги неизмеримо меньше — Испания теперь союзница Англии.

Он говорит по-испански, значит «Сатерленд» почти наверняка отправят к берегам Каталонии, поддерживать испанскую армию. Здесь покрыл себя неувядаемой славой лорд Кокрейн[1], но Кокрейн нынче в немилости. Еще не стихло эхо трибунала, разбиравшего его операцию на Баскском рейде, и если Кокрейну когда-нибудь дадут корабль, он может считать себя счастливчиком. Вот живой

[1] Томас Кокрейн, 10-й граф Дандональд, маркиз Мараньян (1775–1860) – британский капитан, прославленный множеством дерзких операций. В апреле 1809 года отряд брандеров под его командой успешно атаковал французскую эскадру на Баскском рейде. Кокрейн был награжден орденом Бани, но тем не менее потребовал трибунала над командующим флотом — адмиралом Гамбиром за неоказание поддержки, утверждая, что в противном случае последствия для французов были бы еще более катастрофическими. Суд хотя и признал недостаточность поддержки, но в целом действия адмирала оправдал, и в результате Кокрейн приобрел множество недоброжелателей, что отразилось на его продвижении по службе. Не получив командования, он занялся политикой и, пройдя в парламент, примкнул к оппозиции.

пример, какое безумие — боевому офицеру ввязываться в политику. Быть может (Хорнблауэр боролся с неоправданным оптимизмом и пессимизмом разом), Адмиралтейство готовит его на место Кокрейна? Если так, его ценят куда выше, чем он смел надеяться. Он сурово отогнал эту мысль и улыбнулся, напомнив себе, что от переизбытка чувств можно стукнуться головой о палубный бимс — и ничего боле.

Мысль эта успокоила, он зашагал, философски убеждая себя, что гадает понапрасну — все станет известно в свое время, а пока, сколько ни тревожься, от судьбы не уйдешь. Двести британских фрегатов и сто двадцать линейных кораблей бороздят моря, на каждом — свой капитан, царь и Бог для команды и марионетка для Адмиралтейства. Разумнее всего выкинуть из головы пустые домыслы, отправляться домой, тихо посидеть с женою и не думать о будущем.

Он уже выходил из галереи, чтобы потребовать гичку, когда на него вновь нахлынула волна пьянящего восторга. Завтра он увидит леди Барбару!

III

— Я хорошо выгляжу? — спросила Мария, заканчивая туалет.

Хорнблауэр застегивал парадный мундир; он поглядел на нее и изобразил восхищенную улыбку.

— Прекрасно, дорогая! — сказал он. — Это платье сидит на тебе, как ни одно другое.

Наградой ему была улыбка. Бесполезно говорить Марии правду, объяснять, что именно этот голубой оттенок не идет к ее красным щекам. Полная, плохо сложенная, с жесткими черными волосами, Мария никогда не будет элегантной. В лучшем случае она походила на жену бакалейщика, в худшем — на судомойку, которая вырядилась в барынины обноски. Хорнблауэр поглядел на ее красные короткопалые руки: действительно, как у судомойки.

— Я надену парижские перчатки, — сказала Мария, проследив за его взглядом. Черт, как она угадывает всякое его желание, как старается угодить! В его власти причинить ей страдание. От этой мысли Хорнблауэру сделалось неуютно.

— Лучше и лучше, — галантно произнес он, стоя перед зеркалом и оправляя сюртук.

— Тебе так идет парадный мундир, — сказала Мария восхищенно.

Вернувшись в Англию, Хорнблауэр первым делом приобрел себе новые мундиры — перед тем он несколько раз попадал в неловкое положение из-за убожества своего гардероба. Сейчас он с удовлетворением разглядывал себя в зеркале. Тяжелые эполеты на плечах были из настоящего золотого шнура, как и широкий позумент по краю и вокруг петлиц. Когда он шевелился, пуговицы и обшлага отсвечивали — приятно было видеть тяжелые золотые нашивки на обшлаге, означавшие, что он служит капитаном уже более трех лет. Галстук из плотного китайского шелка. Белые, отлично скроенные кашемировые панталоны, белые шелковые чулки — лучшие, какие удалось отыскать. Он пристыженно вспомнил, что у Марии под юбкой дешевые бумажные чулки по четыре шиллинга пара. С макушки до щиколоток он был одет, как пристало джентльмену. Смущали только башмаки. Пряжки на них были из томпака, и Хорнблауэр опасался, что рядом с пуговицами на мундире подделка будет бросаться в глаза. Сегодня вечером надо по возможности не привлекать внимания к ногам. Какая жалость, что шпага ценою в сто гиней — дар Патриотического фонда за потопленный «Нативидад» — еще не прибыла. Придется нацепить пятидесятигинеевую шпагу, которой его, тогда еще совсем молодого капитана, наградили за захват «Кастилии».

Он взял треуголку — на ней позумент и пуговицы тоже были золотыми — и перчатки.

— Готова, дорогая?

— Да, Горацио. — Она давно обнаружила, что ее муж ненавидит несобранность, и покорно старалась не раздражать.

Послеполуденное солнце вспыхивало на золотых пуговицах и галуне, шедший навстречу субалтерн народного ополчения почтительно козырнул. Хорнблауэр заметил, что цеплявшаяся за субалтерна молодая особа разглядывает Марию пристальнее, чем его. Ему даже померещилась жалостливая усмешка в ее глазах. Да, Мария, без сомнения, не та женщина, какую пристало вести под руку офицеру в чинах. Но она его жена, подруга его юности. Надо платить за ту сердечную слабость, которая толкнула его к браку. Маленький Горацио и маленькая Мария умерли от оспы на квартире в Саутси. Он обязан ей преданностью уже по этой причине. Сейчас она, возможно, снова носит под сердцем его дитя. Конечно, это было чистейшим безумием, но безумием, извинительным в человеке, чье сердце разрывается от ревности. Тогда только что стало известно о замужестве леди Барбары. И за это безумие тоже надо расплачиваться, расплачиваться нежностью. Лучшие чувства вкупе с природной нерешительностью побуждали его хранить супружескую верность, утешать Марию, притворяться любящим мужем.

Мало того. Гордость никогда не позволит ему публично признать, что он совершил ошибку, влип, как желторотый юнец. Уже из-за одного этого он не мог бы открыто порвать с Марией — даже если бы нашел в себе силы разбить ей сердце. Он вспомнил, как цинично флотские обсуждали личную жизнь Нельсона, а после — Боуэна и Семсона. Пока он верен жене, о нем ничего подобного не скажут. Люди терпимы к чудачеству и смеются над слабостью. Возможно, они дивятся его преданности, но не более того. Пока он ведет себя так, будто Мария для него — единственная женщина в мире, им придется принять на веру: в ней есть нечто, неуловимое для стороннего наблюдателя.

— Мы ведь в «Ангел» идем, дорогой? — прервала его раздумья Мария.

— Да, а что?

— Мы прошли мимо. Я тебе говорила, но ты не слышал.

Они вернулись. Смешливая горничная пропустила их в прохладный полумрак дальних комнат. В обшитой дубом гостиной стояли мужчины и женщины, но Хорнблауэр видел только одну. Леди Барбара была в голубом платье, серо-голубом, под цвет глаз. На груди на золотой цепочке — сапфировый кулон, но глаза лучились ярче сапфиров. Хорнблауэр поклонился и, запинаясь, представил Марию. Комната была как в тумане, и только леди Барбару он видел совершенно отчетливо. Со щек ее сошел прежний золотистый загар, теперь их покрывала приличествующая знатной даме бледность.

До Хорнблауэра дошло, что кто-то с ним говорит — причем уже некоторое время.

— Очень рад видеть вас здесь, капитан Хорнблауэр, — услышал он. — Позвольте вас представить. Капитан Хорнблауэр — миссис Эллиот. Капитан Хорнблауэр — миссис Болтон. Мой флаг-капитан, капитан Эллиот, с «Плутона». Нет надобности представлять капитана Болтона с «Калигулы» — насколько я понял с его слов, вы вместе служили на «Неустанном».

Туман перед глазами Хорнблауэра понемногу рассеивался. Он пробормотал несколько слов. Тут хозяин гостиницы очень кстати объявил, что обед подан. Пока все рассаживались за круглым столом, Хорнблауэр перевел дух. Напротив оказался Болтон, краснощекий, с незатейливым честным лицом. Хорнблауэр и сейчас ощущал его крепкое дружеское пожатие. Ни в шершавой ладони, ни во всем облике Болтона уж точно не было ничего от высшего света. Кстати, и в миссис Болтон — она сидела справа от Хорнблауэра, между ним и адмиралом, — такая же невзрачная, как Мария, так же безвкусно одетая. Это утешило его несказанно.

— Поздравляю вас, капитан, с назначением на «Сатерленд», — произнесла леди Барбара слева от Хорнблауэра, и на него легонько повеяло духами. Голова закружилась. Ее аромат, ее голос дурманили, как встарь, он не знал что ответить.

— Здешний хозяин, — объявил адмирал, погружая половник в большую серебряную супницу, — клялся и божился, что знает секрет приготовления черепахового супа, посему я доверил черепаху его заботам. По счастью, он не соврал. Херес вполне приличный — Джордж, налей хересу.

Хорнблауэр неосторожно отхлебнул слишком горячего супу, обжегся и от этого протрезвел. Повернувшись, он взглянул на адмирала, которому обязан будет верой и правдой служить следующие два-три года и который завоевал руку леди Барбары, не потратив на ухаживания и трех недель. Что ж — высок, представителен, недурен лицом. Сверкающий мундир украшают красная лента и звезда ордена Бани. Лет едва ли сильно за сорок — года на два старше Хорнблауэра. Значит, влиятельные родственники выхлопотали ему адмиральский чин в кратчайший возможный срок. Впрочем, полноватая нижняя челюсть выдавала, на взгляд Хорнблауэра, то ли тупость, то ли самовлюбленность — вероятно, и то и другое.

Все это Хорнблауэр успел разглядеть в первые несколько секунд. За этим занятием он чуть не позабыл о приличиях — сидя между леди Барбарой и адмиралом, трудно было не потерять головы. Он поспешил исправиться:

— Надеюсь, леди Барбара, вы в добром здравии? — пытаясь угадать нужный тон, он неожиданно для себя заговорил со своеобразной, суховатой шканцевой вежливостью. Мария, сидевшая рядом с капитаном Эллиотом по другую сторону от леди Барбары, приподняла брови — она всегда чутко улавливала настроения мужа.

— О, да, — спокойно отвечала леди Барбара. — А вы, капитан?

— Горацио здоров, как никогда, — вмешалась Мария.

— Приятно слышать, — сказала леди Барбара, оборачиваясь к ней. — А вот бедного капитана Эллиота до сих пор иногда лихорадит — он во Флиссингене подхватил малярию.

Ход был удачный — между Марией, леди Барбарой и Эллиотом тут же завязался разговор, в котором Хорнблауэру не осталось места. Он немного послушал, потом заставил себя повернуться к миссис Болтон. Та явно не привыкла блистать в светской беседе и на все отвечала лишь «да» и «нет». Сидевший по другую руку от нее адмирал увлеченно беседовал с миссис Эллиот. Хорнблауэр замкнулся в мрачном молчании. Из разговора двух дам Эллиот вскорости выпал и сидел между ними бессловесный, однако ни Марию, ни леди Барбару это не смутило — они и без его участия продолжали беседовать так увлеченно, что их не отвлекла даже перемена блюд.

— Позвольте отрезать вам говядины, миссис Эллиот? — спрашивал адмирал. — Хорнблауэр, сделайте милость, займитесь утками, они перед вами. Это говяжьи языки, Болтон, местный деликатес — впрочем, вам это, конечно, известно. Попробуете, или вам больше приглянулась говядина? Эллиот, предложите дамам рагу. Может, им по душе заграничные выкрутасы, а я вот не люблю, когда мясо мешают с овощами. Там на буфете холодный мясной пирог — хозяин уверял, что прославился именно этими пирогами. Копченая баранина, такую нигде, кроме как в Девоншире, не сыщете. Миссис Хорнблауэр? Барбара, дорогая?

Хорнблауэр в это время нарезал утку. При звуке святого для него имени, столь небрежно оброненного, защемило сердце, и нож, которым он отделял от утиной грудки длинную полосу мяса, застрял посреди надреза. С усилием Хорнблауэр продолжил свое занятие и, поскольку никто за столом жареной утки не пожелал, положил отрезанное себе на тарелку. По крайней мере, ему не пришлось ни с кем встречаться глазами. Мария и леди Барбара все так же беседовали. У Хорнблауэра разыгралось воображение. Ему мерещилось нечто нарочитое в том, как леди Барбара повернула к нему плечо. Быть может, увидев Марию и убедившись в его дурном вкусе, она сочла, что его любовь не делает ей чести. Только бы Мария не наговорила чего-нибудь уж совсем глупого и неловкого — он почти не слышал их разговора. Хорнблауэр едва прикоснулся к обильной трапезе — по обыкновению скромный аппетит улетучился совсем. Он жадно пил вино, которое подливал и подливал слуга, потом вдруг сообразил, что делает, и остановился — напиваться он любил еще меньше, чем переедать. После этого он только возил вилкой в тарелке, притворяясь, что ест. К счастью, его соседка миссис Болтон не страдала отсутствием аппетита и молча нажимала на еду — если бы не это, смотреть на них было бы уж совсем тоскливо.

Убрали со стола, освободили место для сыра и сладкого.

— Ананасы, конечно, не те, что в Панаме, капитан Хорнблауэр, — сказала леди Барбара, внезапно поворачиваясь к нему. — Но, может, все-таки попробуете?

Он так смешался от неожиданности, что еле-еле разрезал ананас серебряным ножом и положил ей кусок. Теперь он мог говорить с ней, мало того, страстно желал говорить, но слова не шли — вернее, он поймал себя на желании спросить, нравится ли ей замужем. Хотя ему хватило ума удержаться от подобной глупости, он ничего не мог измыслить взамен.

— Капитан Эллиот и капитан Болтон, — продолжала леди Барбара, — непрестанно выпытывают у меня подробности сражения между «Лидией» и «Нативидадом». На большую часть вопросов я не могу ответить по незнанию предмета, тем более что, как я объясняю, вы заточили меня в кубрике, откуда я решительно ничего не видела. Однако даже это не умерило их зависти.

— Ее милость права, — объявил Болтон через весь стол. Теперь он стал еще громогласнее, чем в бытность свою молодым лейтенантом. — Расскажите нам, Хорнблауэр.

Хорнблауэр, чувствуя на себе взгляды собравшихся, покраснел и затеребил галстук.

— Давайте, выкладывайте, — нажимал Болтон: человек явно несветский, он за весь вечер почти не открывал рта и только сейчас, предвкушая рассказ о морском сражении, оживился.

— Доны дрались лучше обычного? — спросил Эллиот.

— Ну... — начал Хорнблауэр, понемногу теряя бдительность. Все слушали, то один, то другой из мужчин задавали вопросы. Мало-помалу он разговорился. История разворачивалась, вечно сдерживаемая говорливость переросла в красноречие. Он рассказывал о долгом поединке в безбрежном Тихом океане, о тяготах, о кровавом и мучительном побоище, о том, как, устало опершись на шканцевый поручень, торжествующим взглядом провожал в ночи идущего ко дну неприятеля.

Хорнблауэр смущенно смолк, осознав, что впал в непростительный грех хвастовства. Его бросило в жар. Он оглядел лица собравшихся, ожидая увидеть неловкость или открытое неодобрение, жалость или презрение, однако прочел на них выражение, которое иначе как восхищенным назвать не мог. Болтон, старше его по службе лет на пять, а по возрасту и на все десять, смотрел широко открытыми глазами. Эллиот, командовавший в эскадре Нельсона линейным кораблем, с явным одобрением кивал массивной головой. Когда Хорнблауэр решился взглянуть на адмирала, то увидел — Лейтон все еще сидит, как громом пораженный. На смуглом красивом лице угадывалось легкое сожаление, что, столько прослужив на флоте, он ни разу не имел подобного случая отличиться. Но и его заворожило незатейливое мужество рассказа. Он заерзал и глянул Хорнблауэру в глаза.

— Вот и тост, — сказал он, поднимая бокал. — Пусть капитан «Сатерленда» превзойдет капитана «Лидии»!

Тост был встречен одобрительным гулом, Хорнблауэр краснел и запинался. Трудно было снести восхищение людей, чьим мнением он дорожил, особенно теперь, когда он начал осознавать, что завоевал его нечестно. Только сейчас в памяти всплыл тошнотворный страх, с которым он ожидал неприятельских бортовых залпов, ужас перед увечьем, преследовавший его на протяжении всего боя. Он презренный трус, не то что Лейтон, Болтон и Эллиот, ни разу в жизни не испытавшие страха. Если б он рассказал им все, если бы поведал не только о маневрах, но и о переживаниях, они бы пожалели его, словно калеку, его слава рассеялась бы, как дым. От смущения его избавила леди Барбара. Она встала, остальные дамы последовали ее примеру.

— Не засиживайтесь за вином, — сказала леди Барбара, когда мужчины встали их проводить. — Капитан Хорнблауэр — прославленный игрок в вист, нас еще ждут карты.

IV

Из «Ангела» шли в кромешной тьме. Мария прижималась к мужу.

— Замечательный вечер, — говорила она. — Леди Барбара очень мила.

— Рад, что тебе понравилось, — сказал Хорнблауэр. Побывав где-нибудь, Мария всегда с наслаждением перемывала косточки гостям. Он съежился, чувствуя, что надвигается критический разбор леди Барбары.

— Она прекрасно воспитана, — неумолимо продолжала Мария. — Гораздо лучше, чем выходило по твоим рассказам.

Порывшись в памяти, Хорнблауэр сообразил, что, говоря о леди Барбаре, больше нажимал на ее отвагу и умение свободно держаться в обществе лиц противоположного пола. Тогда Марии приятно было воображать графскую дочку этаким мужчиной в юбке. Теперь ей приятно вернуться к привычным представлениям: восторгаться тем, как леди Барбара воспитана, радоваться ее снисхождению.

— Очень приятная женщина, — осторожно сказал он, стараясь попасть в тон Марии.

— Она спросила, собираюсь ли я с тобой, я объяснила, что это было бы неразумно, учитывая те надежды, которые мы уже начали питать.

— Ты сказала ей это? — спросил Хорнблауэр резко. В последний миг он сдержался, чтобы не выплеснуть всю внезапно закипевшую в нем злость.

— Она пожелала мне счастья, — ответила Мария, — и просила тебя поздравить.

Хорнблауэра невыносимо раздосадовало, что Мария обсуждала с леди Барбарой свою беременность. Он не позволял себе думать, почему. Значит, леди Барбара знает. У него и до того голова шла кругом — теперь за короткую прогулку до дома ему уже точно не привести мысли в порядок.

— Ох, — сказала Мария уже в спальне, — какие же тесные туфли!

Сидя на низком стуле, она поводила ступнями в белых нитяных чулках, ее тень, отбрасываемая свечой на туалетном столике, плясала на стене. Тень балдахина над кроватью мрачным черным прямоугольником лежала на потолке.

— Аккуратно вешай парадный мундир, — сказала Мария, вынимая из волос шпильки.

— Я спать не хочу, — в отчаянии произнес Хорнблауэр. Сейчас он отдал бы что угодно, лишь бы улизнуть, укрыться в одиночестве кормовой галереи. Но это было невозможно — слишком поздний час для побега, да и наряд несоответственный.

— Спать не хочет! — (Что за дурацкая привычка повторять его слова.) — Очень странно! Вечер был такой утомительный. Может, ты жареной утки переел?

— Нет.

Невозможно объяснить Марии, что творится у него в голове, невозможно сбежать. Заговорив об этом, он бы смертельно ее обидел. Нет, на такое он не способен. Он вздохнул и начал отстегивать шпагу.

— Ты только ляг — и сразу заснешь, — сказала Мария — она говорила по собственному опыту. — Нам так недолго осталось быть вместе.

Это было правдой. Адмирал сообщил, что «Плутону», «Калигуле» и «Сатерленду» назначено сопровождать до Тахо Ост-Индский конвой, который уже формируется. Опять встает проклятый вопрос о команде — как, черт возьми, к сроку набрать матросов? С выездной сессии в Бодмине, возможно, пришлют еще нескольких осужденных. Лейтенанты вернутся со дня на день, хоть нескольких добровольцев да привезут. Но ему нужны марсовые, а марсовых не сыщешь ни в тюрьмах, ни на ярмарочных площадях.

— Суровая у нас жизнь, — проговорила Мария, размышляя о предстоящей разлуке.

— Лучше, чем обучать счету за восемь пенсов в неделю, — с натужной веселостью ответил Хорнблауэр.

До замужества Мария преподавала в школе — за обучение чтению родители платили четыре пенса, письму — шесть, счету — восемь.

— Да, конечно, — сказала Мария. — Я стольким обязана тебе, Горацио. Вот твоя ночная рубашка. Помню, мисс Уэнтворт разнюхала, что я учу с Алисой Стоун таблицу умножения, хотя ее родители платят только четыре пенса. Как меня тогда ругали! А потом та же неблагодарная девчонка подговорила маленького Хопера выпустить в классной мышей. Но я бы стерпела все, милый, если бы могла этим тебя удержать.

— Долг неумолим, дорогая, — сказал Хорнблауэр, ныряя в ночную рубашку. — Но не пройдет и двух лет, я вернусь с мешком золотых гиней. Попомни мои слова!

— Два года! — жалобно повторила Мария.

Хорнблауэр деланно зевнул. Мария клюнула на искусно брошенную наживку — Хорнблауэр наверняка знал, что так оно и будет.

— А говорил, что спать не хочешь! — воскликнула она.

— Что-то меня и впрямь сморило, — сказал Хорнблауэр. — Может, подействовал адмиральский портвейн? Глаза слипаются. Спокойной ночи, любовь моя.

Он поцеловал ее, еще сидящую за туалетным столиком, и быстро забрался в постель. Здесь, лежа на самом краю, он стойко не шевелился, пока Мария задувала свечу, устраивалась рядом с ним, пока ее дыхание не сделалось тихим и размеренным. Только тогда он расслабился, перелег по-другому и дал волю проносящимся в голове мыслям.

Сегодня вечером они с Болтоном ненадолго оказались рядом, остальные были далеко и слышать их не могли. Болтон подмигнул и, кивнув в сторону адмирала, заметил:

— За ним шесть голосов в правительстве.

Болтон туп, как и пристало хорошему моряку, но он недавно из Лондона, там поприсутствовал на утренних королевских приемах и поднабрался слухов. Бедный король снова помешался, надвигается регентство, значит, власть может от вигов перейти к тори. Шесть принадлежащих Лейтону голосов — вещь немаловажная. Маркиз Уэлсли — министр иностранных дел, Генри Уэлсли — посол в Испании, сэр Артур Уэлсли — как его новый титул? Ах да, конечно, герцог Веллингтон, — командует британскими силами на Пиренейском полуострове. Нечего удивляться, что леди Барбара Уэлсли выходит за сэра Перси Лейтона, а сэру Перси немедленно дают эскадру в Средиземном море. Влияние оппозиции день ото дня растет, и судьба мира висит на волоске.

Хорнблауэр беспокойно заворочался в постели и тут же замер — это пошевелилась Мария. Лишь немногие — и в первую очередь Уэлсли — готовы и дальше противостоять всевластному корсиканцу. Малейший просчет — на суше, на море или в парламенте — и они полетят с высоких постов, рискуя лишиться головы, а Европа падет.

В конце вечера леди Барбара разливала чай, Хорнблауэр ждал с чашкой в руке, рядом никого не было.

— Мне было приятно услышать от мужа, — сказала она тихо, — что вас назначили на «Сатерленд». Сегодня как никогда Англия нуждается в своих лучших капитанах.

Возможно, она подразумевала больше, чем произнесла вслух. Возможно, она намекала, что Лейтона надо поддержать. Из этого, впрочем, никак не следовало, что она способствовала его назначению на «Сатерленд». Но приятно думать, что она вышла за Лейтона не по любви. Она не должна никого любить! Хорнблауэр припоминал каждое ее слово, каждый обращенный на мужа взгляд. Да, она не походила на счастливую новобрачную. И все же — все же она жена Лейтона, в эту самую минуту она с ним в постели. От этой мысли у Хорнблауэра передернуло.

Так не пойдет. Он рассудочно убеждал себя, что на этом пути его ждут лишь муки и безумие, и, ухватившись за первую пришедшую в голову мысль, принялся разбирать заключительную партию в вист. Не прорежь он так неудачно на заход Эллиота, он бы спас роббер. Сыграл он правильно — вероятность была три к двум, — но азартный картежник не стал бы об этом задумываться. Он бы взял свою взятку и в данном случае оказался прав. Но только азартный картежник понадеялся бы, что король окажется бланковым. Хорнблауэр всегда гордился научной выверенностью своей игры. Так-то оно так, но сегодня вечером он расстался с двумя гинеями, а в его теперешнем положении это большая потеря.

Прежде чем «Сатерленд» снимется с якоря, надо купить пяток поросят, две дюжины кур да и пару барашков, кстати. Без вина тоже не обойтись. В Средиземноморье он купит дешевле, но на первую пору надо иметь на борту хотя бы пять-шесть дюжин. Капитан ни в чем не должен иметь нужды, иначе это может дурно сказаться на дисциплине. Кроме того, путешествие предстоит долгое, надо будет принимать других капитанов — да и адмирала, вероятно. Те будут неприятно удивлены, если он угостит их корабельной провизией, которой обыкновенно довольствуется сам. Список необходимых покупок все удлинялся. Портвейн, херес, мадера. Яблоки и сигары. Не меньше дюжины рубашек. Еще четыре пары шелковых чулок — судя по всему, предстоит много официальных поездок на берег. Ящичек чаю. Перец, корица, гвоздика. Инжир и чернослив. Восковые свечи. Все, что необходимо капитану для поддержания достоинства — и самоуважения. Он не желал выглядеть нищим.

Можно потратить жалованье за следующие три месяца, и все равно не хватит. Марии придется поэкономить эти три месяца, но ей, по счастью, не привыкать к бедности и назойливым кредиторам. Бедная Мария! Если он когда-нибудь станет адмиралом, то вознаградит ее за все лишения. Еще хорошо бы купить книг — не для развлечения, таких у него целый ящик, все старые друзья, включая «Упадок и разрушение Римской империи», — но чтобы подготовиться к предстоящей кампании. Вчерашняя «Морнинг кроникл» сообщила, что вышли «Очерки современной войны в Испании», — очень бы хотелось приобрести этот труд и еще книг шесть. Чем больше он узнает про полуостров, у берегов которого ему предстоит сражаться, про видных представителей народа, который ему предстоит защищать, тем лучше. Но книги стоят недешево, а денег взять неоткуда.

Хорнблауэр перевернулся на другой бок. Фортуна вечно обделяет его призовыми деньгами. За потопленный «Нативидад» Адмиралтейство не выплатило ни пенса. Последний раз нежданное богатство привалило ему несколько лет назад, когда он совсем еще молодым капитаном захватил «Кастилию», и с тех пор ничего — а ведь иные капитаны составили тысячные состояния. Это сводило его с ума, тем более что, если бы не теперешняя нищета, легче было бы набрать матросов на «Сатерленд». Нехватка матросов оставалась самой тягостной из его тревог — нехватка матросов и леди Барбара в объятиях Лейтона. Описав полный круг, мысли двинулись проторенным путем. Он лежал без сна всю долгую, утомительную ночь, пока рассвет не начал проникать сквозь занавеси на окнах. Фантастические домыслы о том, что думает леди Барбара, сменялись прозаическими рассуждениями — как лучше подготовить «Сатерленд» к выходу в море.

V

Капитан Хорнблауэр расхаживал взад и вперед по шканцам, а вокруг кипела работа — в шуме и сутолоке «Сатерленд» снаряжался к отплытию. Сборы затягивались, и он злился, хотя отлично знал причины задержки — их было несколько, и для каждой существовало свое, вполне рациональное объяснение. Две трети людей, которых унтер-офицеры подгоняли сейчас линьками, а боцман Гаррисон — тростью, до вчерашнего дня не то что корабля, моря в глаза не видели. Простейший приказ повергал их в растерянность, приходилось вести их к месту и буквально вкладывать в руки трос. Но даже и тогда проку от них было куда меньше, чем от бывалых моряков, — они еще не приноровились разом налегать всем телом на трос и дальше выбирать ходом. А раз начав тянуть, они уже не останавливались — приказ «стой выбирать» был для них пустым звуком. Не раз и не два они сбивали с ног опытных матросов, когда те замирали по команде. В результате одной из таких накладок бочонок с водой сорвался с нокового горденя и лишь по счастливой случайности не угодил прямиком в стоящий у борта баркас.

Хорнблауэр сам распорядился, чтобы воду загружали в последнюю очередь. От долгого пребывания в бочках она застаивается, в ней заводится зеленая живность — загружать ее надо по возможности позже, даже день-два имеют значение. Двенадцать тонн сухарей задержал по обычной своей бестолковости Провиантский двор — такое впечатление, что тамошние клерки не умеют ни читать, ни считать. Дело осложнялось тем, что одновременно выгружали и перетаскивали к ахтерлюку драгоценные капитанские припасы. Это уже вина Патриотического фонда, задержавшегося с высылкой Хорнблауэру наградной шпаги ценою в сто гиней. Ни один лавочник в порту не поверил бы в долг уходящему в плаванье капитану. Шпага пришла только вчера, Хорнблауэр еле-еле успел заложить ее в лавке у Дуддингстона, причем Дуддингстон принял шпагу весьма неохотно и то лишь под клятвенное заверение, что Хорнблауэр выкупит ее при первой возможности.

— Понаписали-то, понаписали, — говорил Дуддингстон, тыча коротким указательным пальцем в витиеватую надпись, которую Патриотический фонд вывел на стальном лезвии ценою немалых издержек.

Практическую ценность представляло лишь золото на ножнах и рукояти, да мелкие жемчужины на эфесе. Дуддингстон, будем к нему справедливы, был совершенно прав, заявив, что под такой залог нельзя отпустить товару больше чем на сорок гиней, даже учитывая проценты и твердое обещание выкупить. Однако слово свое он сдержал и припасы прислал на рассвете следующего же дня — еще осложнив Хорнблауэру сборы.

На переходном мостике баталер Вуд топал от ярости ногами.

— Черти бы вас побрали, идиоты косорукие! — орал он. — Вот вы, сударь, в лихтере, уберите свою дурацкую ухмылку и давайте аккуратнее, а то загоню под палубу и отправитесь с нами! Помалу, помалу! Черт! Кто так швыряет ром по семь гиней за бочонок?! Это же вам не чугунная болванка!

Вуд надзирал за погрузкой рома. Бывалые моряки норовили подстроить так, чтобы новички по безалаберности раскололи пару бочонков — тогда удавалось перехватить глоток-другой. Ухмыляющиеся матросы из лихтера не упускали случая подсобить. Судя по раскрасневшимся лицам и неудержимой веселости некоторых моряков, им удалось нализаться даже под недремлющим оком Вуда и морских пехотинцев. Впрочем, Хорнблауэр не собирался вмешиваться. Матросы воруют ром при всяком удобном и неудобном случае, препятствовать им — только попусту ронять свое достоинство; никто еще не преуспел в этой безнадежной борьбе.

С высоты шканцев Хорнблауэр наблюдал занятную сценку на главной палубе. Молодой верзила — судя по бицепсам, рудокоп — ошалев от изливаемого на него потока брани и непонятных приказов, набросился на Гаррисона с кулаками. Но Гаррисон недаром был боцманом — к своим пятидесяти годам он побывал в сотнях таких переделок, и силы ему было не занимать. Уклонившись от неловкого замаха, он сокрушительным ударом в челюсть сбил корнуольца с ног, потом без церемоний поднял за шиворот и пинками погнал по палубе к простаивающей тали. Корнуолец обалдело ухватился за трос и потянул вместе с остальными. Хорнблауэр одобрительно кивнул.

Корнуолец совершил преступление, карающееся, согласно Своду законов военного времени, «смертью либо наказанием, более мягким, по усмотрению трибунала», — поднял руку на офицера. Но сейчас не время судить по всей строгости законов военного времени, хоть их и зачитали корнуольцу вчера, когда зачисляли в команду. Джерард на баркасе прочесал Рендрут, Камборн и Сент-Ив, захватил врасплох и повязал пятьдесят крепких корнуольцев. Понятно, те еще не разобрались в сложной административной машине, частью которой оказались так неожиданно. Случись это через месяц, когда все на корабле проникнутся чудовищностью подобного проступка, пришлось бы созвать трибунал, наказать ослушника кошками или даже

повесить, но сейчас Гаррисон сделал самое разумное — двинул его в челюсть и отправил работать дальше. Хорнблауэр возблагодарил Бога, что он капитан, а не боцман. Для него попытка двинуть кого-нибудь в челюсть окончилась бы плачевно.

Он переступил с ноги на ногу и вспомнил, что смертельно устал. Он не спал несколько ночей, дни проводил в бесконечных хлопотах. Мысли о леди Барбаре и Марии, денежные затруднения и нехватка матросов так истощили нервы, что он не смог перепоручить мелкие заботы Джерарду и Бушу, которые бы превосходно со всем справились. Тревога подстегивала его, не давала усидеть на месте. Он постоянно чувствовал себя разбитым, усталым и отупевшим. День за днем он мечтал, как выйдет в море, замкнется в приличествующем капитану одиночестве, оставит позади все сухопутные тревоги, даже леди Барбару.

Последняя встреча основательно выбила его из колеи. Ему хватило ума понять это и попытаться исправить. Он бросил биться над неразрешимым вопросом — она или не она добилась его назначения на «Сатерленд», всячески гнал прочь изматывающую ревность и даже убедил себя, что хочет одного — сбежать от леди Барбары, от утомительно нежной Марии, от всей запутанной жизни на берегу.

Он грезил о море, как потерпевший крушение грезит о глотке воды. Два дня назад сегодняшняя суета перед отплытием представлялась ему венцом желаний. Теперь он сглотнул, внезапно осознав, что это не так. Расставаться с леди Барбарой было, как резать по живому, и — удивительное дело — разлука с Марией тоже печалила. К его возвращению ребенку исполнится год, он будет ходить, возможно — лепетать первые слова. Марии придется вынашивать и рожать без мужа, без его поддержки. Она мужественно отказывалась говорить на эту тему, но он знал, как ей будет его недоставать. Он покидал ее с тяжелым сердцем.

Они прощались в гостиной, заранее решив, что Мария не станет растягивать мучения и провожать его на корабль. Когда она подняла к нему лицо, он увидел, что, несмотря на всю выдержку, губы ее дрожат и глаза увлажнились. Тогда он еще рвался на волю и расстался с ней довольно легко. Теперь все переменилось.

Обругав себя сентиментальным глупцом, Хорнблауэр взглянул на указатель компаса. Без сомнения, ветер отходит. Если он задует с норда или с норд-оста, адмирал захочет скорее выйти в море. Караван, «Калигула» и «Плутон» уже в заливе Каусенд. Коли адмирал решил не ждать отстающих, любое, даже неизбежное, промедление его раздосадует.

— Велите пошевеливаться, мистер Буш! — крикнул Хорнблауэр.

— Есть, сэр, — спокойно отозвался Буш.

Это еще больше взбесило Хорнблауэра. За спокойным ответом он угадывал легкий укор, никому, кроме Буша с Хорнблауэром, незаметный. Буш выкладывается до предела, из матросов выжимает все — и Хорнблауэр это отлично видит. Он просто выплеснул раздражение. Сколько раз он наказывал себе не говорить офицерам ненужных слов — и вот опять. Чтобы это не повторилось, Хорнблауэр пошел в каюту, чего прежде делать не намеревался.

Часовой посторонился, пропуская его с полупалубы в спальную каюту. Он была просторна, так что помимо двенадцатифунтовой пушки свободно вмещала койку, письменный стол и рундук. Хорнблауэр прошел через спальню в следующую каюту, тоже просторную — строившие «Сатерленд» голландцы своих капитанов уважали. Она протянулась на всю ширину кормы, сквозь большие кормовые окна проникало солнце. От покрашенных в бежевый цвет переборок было светло и радостно — цветовую гамму удачно дополняли черные махины двенадцатифунтовок. Полвил, лежа на животе, убирал ящики с вином, ему помогали двое матросов. Хорнблауэр сумрачно взглянул на них, осознав, что не сможет пока уединиться на кормовой галерее — его будет видно из каюты.

Он вернулся в спальню, со вздохом повалился на койку, но не улежал — вскочил и пошел к письменному столу. Вытащил хрустящие бумаги, сел, принялся перечитывать.

Прибрежной эскадре в западном Средиземноморье от сэра Перси Гилберта Лейтона, К. Б., контр-адмирала Красного Флага приказы...

Далее следовали обычные указания — ночные сигналы, кодовые сигналы, британские, испанские и португальские; места встречи на случай, если корабли потеряют друг друга из виду; пара строк о тактике боя в случае неприятельского нападения. Флагман будет сопровождать до Лиссабона грузовой конвой в Тахо — там Лейтон, вероятно, получит дальнейшие распоряжения. «Калигула» проводит в Маон транспорты «Гарриет» и «Нэнси». «Сатерленд» отправится с ост-индийцами до широты 35 градусов, а затем повернет к Гибралтарскому проливу. Место встречи — у мыса Паламос. Капитанов извещали, что андалузское побережье, за исключением Кадиса и Тарифы, захвачено французами, равно как и побережье Каталонии вплоть до Таррагоны. Капитанам предписывалось, входя в любой испанский порт, принимать предосторожности на случай нахождения там французов. К приказам прилагались инструкции для шкиперов каравана, в них говорилось почти то же самое.

Однако Хорнблауэру бумаги, которые он перебирал, рассказывали длинную и сложную повесть. Они говорили ему, что и сейчас, спустя пять лет после Трафальгара, Англия, владеющая величайшим в истории флотом, напрягает в борьбе последние силы. Корсиканец строит суда почти в каждом европейском порту — в Гамбурге, Антверпене, Бресте, Тулоне, Венеции, Триесте и еще в паре десятков мест. И за каждым из этих портов должны неусыпно следить побитые штормами британские эскадры — все сто двадцать линейных кораблей можно было бы задействовать на одну блокаду. А ведь в каждом заливчике, в каждой рыбачьей бухте вдоль половины европейского побережья укрываются каперы — иногда просто большие гребные лодки, полные вооруженных людей. Они ждут случая выйти в море и захватить беззащитное купеческое судно. Оберегая торговый флот, несут неусыпный дозор британские фрегаты, и всякое королевское судно, куда бы оно ни направлялось, обязательно хоть ненадолго берет под защиту купеческий караван. Чтобы победить в этой войне против всего мира, надо тщательно распределить силы, выверить каждый шаг, особенно сейчас, когда, напрягая все мускулы, Англия переходит в наступление. Ее войска идут маршем по Испании, и три линейных корабля, которые с трудом удалось оторвать от других насущных задач, должны атаковать уязвимый фланг, неосторожно подставленный Бонапартом при наступлении на Пиренейский полуостров. «Сатерленду» назначено стать острием копья, которое поразит деспота, подмявшего под себя весь европейский континент.

Это все замечательно. Машинально Хорнблауэр заходил из угла в угол — голова опущена, чтобы не задевать палубный бимс, четыре шага вперед, четыре шага назад между двенадцатифунтовкой и дверью. Ему доверили почетное и ответственное задание, однако у него нет команды. Чтобы ставить паруса, как положено на королевском корабле, с быстротой и сноровкой, определяющей разницу между победой и поражением, требуется двести пятьдесят опытных моряков. А если все опытные моряки будут ставить паруса, кто встанет к пушкам? Чтобы палить с обоих бортов, надо еще четыреста пятьдесят артиллеристов — правда, половина из них могут быть необученными — и почти сто человек, чтобы подносить порох и выполнять другие обязанности по кораблю.

У него сто девяносто обученных моряков с «Лидии» и еще сто девяносто зеленых новобранцев. Пока «Сатерленд» стоял в порту, из старой команды двадцать человек сбежали, бросив невыплаченное жалованье за два года и рискуя получить тысячу ударов кошкой. И это еще немного. У иных капитанов за время столь долгой стоянки дезертировали бы две трети. И тем не менее потеря была ощутимой. Ему нужно еще сто семьдесят матросов — сто семьдесят обученных матросов. Шесть недель, и он бы вымуштровал новичков — за исключением неизбежной доли безнадежных, больных, калек или придурков. Он бы сделал из них сносных моряков и артиллеристов. Но меньше чем через шесть недель, может быть — меньше чем через три, он будет сражаться у берегов Испании. Не исключено, что он завтра же схватится с неприятелем — ветер становится восточное, при таком ветре французская эскадра из Бреста запросто обойдет блокаду и не прочь будет поживиться лакомыми ост-индийцами. И вот французский корабль первого ранга, не испытывающий недостатка в матросах, сойдется рей к рею с «Сатерлендом» — матросов две трети от нужного числа, и каждый второй страдает морской болезнью...

Хорнблауэр вновь сжал кулаки. Отчаяние душило его. Он будет отвечать за любой провал, его будут презирать и (что столь же невыносимо) жалеть другие капитаны. Он алкал и жаждал пополнения, как проигравшийся картежник — злата, как юноша — возлюбленную. Теперь матросов ждать неоткуда. Отправив Джерарда в Сент-Ив и Редрут, он исчерпал последнюю возможность. Джерард привез пятьдесят человек, и это еще большая удача. С каравана не удастся снять ни одного. Правительственные транспорты в Лиссабон, правительственные грузовые суда в Маон, корабли Ост-индской компании — все они под защитой закона. Хорнблауэр ощущал себя в клетке.

Он снова шагнул к письменному столу, вынул свой экземпляр вахтенного расписания — над этой бумагой они с Бушем промучились почти целую ночь. Успешное управление кораблем в условиях нехватки людей зависит главным образом от этого документа: знающих людей надо расставить в узловых точках, новичков равномерно распределить вокруг — пусть набираются опыта — но так, чтобы не чинили помех в работе. Фор-марс, грот-марс, бизань-марс, полубак и ют; обязанности каждого человека расписаны, при любом из тысячи возможных маневров, в непогоду и в вёдро, средь бела дня или в ночи он без промедления займет свой пост, в точности зная, что ему делать. Знает он и свое место у пушки под командованием дивизионного офицера.

Хорнблауэр еще раз пробежал глазами вахтенное расписание. Удовлетворительно — пока. То была стабильность карточного домика — на первый взгляд, все устойчиво, но малейшее изменение — и он рассыпался. Потери в бою или болезни мгновенно разрушат стройную систему. Хорнблауэр зашвырнул вахтенное расписание в стол; он вспомнил, что и без болезней каждые десять дней на корабле умирает матрос — от несчастных случаев и естественных причин только, не беря в расчет неприятельские действия. К счастью, умирать будут главным образом необстрелянные новички.

Хорнблауэр навострил уши. Сверху доносились хриплые приказания, свист боцманских дудок, дружный топот матросов — втаскивали на борт баркас. Уже некоторое время он слышал странный звук, непохожий на визг шкивов в блоках. Он не сразу понял, что визжат свиньи — его и кают-компании. Их наконец-то поднимали на борт. Слышалось также овечье блеянье и петушиное «кукареку», сопровождаемое взрывами хохота. Он петуха не покупал, только кур, значит, это чей-то еще, кают-компанейский или мичманов.

Кто-то заколотил в дверь, Хорнблауэр схватил бумаги и плюхнулся на стул — не дай бог увидят, что он с волнением ожидает отплытия.

— Войдите! — рявкнул он.

В дверь просунулось перепуганное личико — то был Лонгли, племянник Джерарда, он впервые выходил в море.

— Мистер Буш говорит, только что кончили загружать припасы, сэр, — выговорил он тонким голосом.

Хорнблауэр, силясь не улыбнуться, с ледяным безразличием созерцал перепуганного мальчугана.

— Очень хорошо, — проворчал он и уткнулся в бумаги.

— Да, сэр, — после секундного колебания сказал мальчик, закрывая дверь.

— Мистер Лонгли! — взревел Хорнблауэр.

Детское лицо, еще более напуганное, снова возникло в двери.

— Заходите, юноша, — сказал Хорнблауэр сурово. — Заходите и встаньте смирно. Что вы сказали последним?

— Э... сэр... я сказал... мистер Буш...

— Ничего подобного. Что вы сказали последним?

Детское лицо сморщилось от натуги и тут же разгладилось — Лонгли понял, о чем его спрашивают.

— Я сказал «да, сэр», — произнес он фальцетом.

— А что должны были сказать?

— «Есть, сэр».

— Верно, очень хорошо.

— Есть, сэр.

Мальчик сообразителен и не теряет головы от страха. Если он научится управлять матросами, из него выйдет толковый уорент-офицер. Хорнблауэр убрал бумаги и запер ящик, еще несколько раз прошелся по каюте, выдерживая приличную паузу, и наконец поднялся на шканцы.

— Ставьте паруса, как будете готовы, мистер Буш, — сказал он.

— Полегче с горденями, эй вы... вы...

Даже Буш дошел до той кондиции, когда брань не облегчает сердце. Корабль выглядит ужасающе, палубы грязны, команда валится с ног. Хорнблауэр, сцепив руки за спиной, тщательно изображал олимпийскую невозмутимость. По приказу «Все наверх паруса ставить!» унтер-офицеры погнали по местам отупевших от усталости матросов. Сэвидж, старший мичман, возмужавший у Хорнблауэра на глазах, криками подгонял готовую команду к фалам грот-марселя. Сэвидж был бледен, глаза его налились кровью — ночной кутеж в каком-то плимутском притоне не прошел ему даром. Крича, он прикладывал руку к затылку — шум явно его терзал. Хорнблауэр улыбнулся — несколько дней в море выветрят из юноши всякие следы попойки.

— Ютовый старшина! — хрипло орал Сэвидж. — Почему ютовая команда еще не на корме?! Живее, ребята, живее! Разобрать фалы грот-марселя! Эй, старшина судовой полиции! Пошлите на корму бездельников! Эй, оглохли, что ли?!

Рядом с Хорнблауэром по бизань-вантам побежал, увлекая за собой матросов, боцманмат. Юный Лонгли на секунду замер, провожая его взглядом, потом скорчил решительную мину, прыгнул на выбленки и полез вверх. Хорнблауэр подметил быструю смену чувств — сперва Лонгли испугался высоты, потом мужественно решил, что влезет везде, куда отваживаются влезть другие. Из этого мальчика будет толк.

Буш глядел на часы и с досадой жаловался штурману:

— Девять минут уже! Только поглядите на них. Пехотинцы, и те больше похожи на моряков!

Морские пехотинцы дальше на корме тянули крюйсфалы, выстукивая по палубе башмаками. Они работали, как солдаты, с солдатской выправкой, словно на учениях. Моряков это всегда забавляло, но не приходится отрицать, что сейчас от пехотинцев действительно больше проку.

Матросы перебежали от фалов к брасам. Рев Гаррисона известил, что якорь поднят. Хорнблауэр последний раз взглянул на флюгер — ветер сильно отошел к востоку. Обогнуть мыс Девил будет нелегко. Круто обрасопив паруса, «Сатерленд» повернулся и начал медленно набирать скорость. С лодок заголосили, заплескали платками женщины — жены, которых Хорнблауэр отправил на берег двадцать четыре часа назад, провожали своих мужей. На корме ближней лодки женщина без стеснения рыдала, рот ее был открыт, по щекам ручьями катились слезы. Очень может быть, она никогда больше не увидит своего благоверного.

— По сторонам не глазеть! — рявкнул Гаррисон, приметив, что кто-то из матросов замахал на прощание. Никому не дозволено отвлекаться.

Палуба под Хорнблауэром пошла вниз — это Буш положил корабль в самый крутой бейдевинд: впереди мыс Девил, как поведет себя «Сатерленд», неизвестно, значит, надо держаться как можно дальше на ветру. Стоило кораблю накрениться, и на Хорнблауэра волной нахлынули воспоминания. Лишь когда судно поднимет паруса, закачается под ногами палуба, зазвучит в ушах перестук блоков и пение такелажа — лишь тогда оживают в памяти тысяча и одна мелкая подробность морской жизни. Хорнблауэр тяжело сглотнул от волнения.

Они прошли совсем близко к мысу, на котором располагалась верфь. Рабочие побросали дела и принялись глазеть, но «ура!» не крикнул ни один. За семнадцать военных лет они насмотрелись на военные корабли, и «Сатерленд» не вызывал у них воодушевления. Сейчас на палубе оркестр должен бы играть «Рази, британец, метко» или «Бодрее, ребята, ко славе наш путь», но на музыкантов у Хорнблауэра не было денег, а звать горниста из морских пехотинцев и корабельного трубача, чтобы те устроили жалкий шум, он не собирался. Впереди открывался Стоунхауз-пул, за ним виднелись плимутские кровли.

Где-то там Мария. Быть может, она видит обрасопленные круто к ветру белые паруса. Может быть, леди Барбара смотрит сейчас на «Сатерленд». Хорнблауэр вновь сглотнул. Порыв ветра со Стоунхауз-пул ударил кораблю почти в лоб. Корабль заартачился, но рулевой дал ему увалиться под ветер. Хорнблауэр взглянул направо. Они проходили до опасного близко к берегу — он не ошибся, «Сатерленд» действительно сильно дрейфует. Хорнблауэр наблюдал за ветром и за огибающим мыс отливом, поглядывал на мыс Девил за правой скулой. Как бы ни пришлось поворачивать оверштаг и лавировать от мыса. Буш уже открыл рот, чтобы скомандовать к повороту, когда Хорнблауэр понял, что мыс они пройдут.

— Пусть держит так, мистер Буш, — сказал он. Тихий приказ означал, что капитан берет руководство на себя, и Буш прикусил язык.

Они прошли в каких-то пятидесяти ярдах от буя, вода пенилась с подветренного борта, корабль сильно кренился. Хорнблауэр вмешался не для того, чтобы доказать свое превосходство в судовождении. Скорее он не мог видеть, как что-то делается небезупречно. Он лучше своего первого лейтенанта умеет хладнокровно просчитывать шансы — потому и в вист играет лучше. Впрочем, Хорнблауэр не анализировал сейчас своих побуждений и едва ли осознавал, что такие побуждения были — он никогда не думал о себе как о выдающемся навигаторе.

Теперь они держали прямо на мыс Девил. Хорнблауэр уже некоторое время не спускал с него глаз.

— Руль на левый борт! — приказал он. — И поставьте марсели, мистер Буш.

С ветром на траверзе они вышли в пролив, слева от них были зазубренные вершины Стэддона, справа — Эджкумский холм. Они приближались к открытому морю, ветер свежел, такелаж пел пронзительнее, «Сатерленд» заметней качался на пробегавших под днищем волнах. Слышно стало поскрипывание деревянного корпуса — на палубе различимое, внизу громкое и, наконец, настолько привычное, что ухо переставало его замечать.

— Черт бы побрал это мужичье! — простонал Буш, наблюдая за постановкой брамселей.

Миновали остров Дрейка с наветренной стороны. «Сатерленд» повернулся к нему кормой и с ветром на левой раковине двинулся к проливу. Брамсели еще не поставили, как уже поравнялись со следующим мысом и оказались перед заливом Каусенд. Вот и конвой — шесть остиндийцев с крашеными орудийными портами, ни дать ни взять военные корабли, каждый под флагом Досточтимой компании, а один и вовсе под брейд-вымпелом, что твой коммодор, два флотских транспорта и еще четыре грузовых судна, направляющихся в Лиссабон. Немного мористее покачивались на якорях трехпалубники — «Плутон» и «Калигула».

— Флагман сигналит, сэр, — сказал Буш, не отрывая от глаза подзорную трубу. — Вы должны были доложить об этом минуту назад, мистер Винсент.

Они видели «Плутон» не больше тридцати секунд, но первый адмиральский сигнал действительно нужно было заметить быстрее.

— Позывные «Сатерленда», сэр, — прочел несчастный мичман в подзорную трубу. — «Отрицательный. Номер семь». Номер семь означает «встать на якорь», сэр.

— Подтвердите! — рявкнул Хорнблауэр. — Уберите брамсели и обстените грот-марсель, мистер Буш.

В подзорную трубу он видел, как суетятся на вантах дальних кораблей матросы. Через пять минут над «Плутоном» и «Калигулой» распустились паруса.

— В Норе снаряжались, чтобы им лопнуть, — проворчал Буш. В Норе, воротах крупнейшего морского порта, капитан имел наилучшую возможность пополнить команду первоклассными моряками — их снимали с купеческих судов, оставляя тем человек пять-шесть, только чтобы провести корабль вверх по реке. К тому же Болтон и Эллиот успели потренировать команду в пути. Они уже выходили из залива. По фалам флагмана бежали флажки.

— Каравану, сэр, — докладывал Винсент. — «Поторапливаться. Поднять якорь. Поднять все паруса соответственно погоде», сэр. Господи, пушка.

Сердитый раскат и облако дыма возвестили, что адмирал решительно требует внимания к своим сигналам. Ост-индийцы с их большой, по-военному вымуштрованной командой уже подняли якоря и расправили паруса. Транспорты, естественно, запаздывали. Казалось, остальным придется бесконечно наполнять ветром и класть на стеньгу паруса, но вот и последний транспорт выполз наконец из залива.

— Флагман опять сигналит, сэр, — сказал Винсент, читая флажки и справляясь с сигнальной книгой. — «Занять предписанную раннее позицию».

То есть на ветре от каравана, а поскольку ветер с кормы, значит, в арьергарде. Отсюда военные корабли всегда смогут броситься на выручку каравану. Хорнблауэр чувствовал на щеке посвежевший ветер. На флагмане уже подняли брамсели, теперь поднимали бом-брамсели. Придется делать то же самое, хотя ветер крепчает и бом-брамсели скоро придется убирать. Еще до заката будут брать рифы на марселях. Хорнблауэр отдал Бушу приказ. Гаррисон заорал: «Все наверх паруса ставить!» Новички ежились, и не удивительно — грот-бом-брам-рей «Сатерленда» располагался на высоте ста девяноста футов над палубой, да еще и описывал головокружительные петли, поскольку корабль уже закачался на ла-маншских валах.

Хорнблауэр отвернулся и стал глядеть на флагман — невыносимо было видеть, как унтер-офицеры линьками загоняют перепуганных новичков на ванты. Он знал, что так должно. Флот не признает — не может признавать — слов «не могу» и «боюсь». Исключений не будет, и сейчас самое время вбить в сознание подневольных людей, что приказы исполняются неукоснительно. Попробуй начать с поблажек — и ничего другого от тебя ждать не будут, а на службе, где каждый в любую минуту должен быть готов добровольно пойти на смерть, послабления можно делать лишь опытной команде, способной их по достоинству оценить. И все же Хорнблауэр почти физически ощущал тошнотворный страх человека, который никогда не залезал выше стога и которого гонят на мачту линейного корабля. Жестокая, беспощадная служба.

— Мир раньше подпишут, — проворчал Буш, обращаясь к штурману Кристелу, — чем мы сделаем матросов из этих навозных жуков.

Большинство упомянутых навозных жуков еще три дня назад мирно обитали в своих лачугах и ни сном ни духом не помышляли о море. А теперь их мотает между свинцовым небом и свинцовым морем, в ушах свистит неистовой силы ветер, над головами грозно высятся мачты, под ногами скрипит древесина кренящегося корабля.

Они были уже далеко в море, с палубы виднелся Эддистоун, и под давлением прибавленных парусов «Сатер-

ленд» качался все сильнее. Встретив скулой первую большую волну, он приподнял нос, винтообразным движением накренился на бок, пока та проходила под днищем, и головокружительно нырнул вперед, когда она прокатилась под кормой. На шкафуте завыли.

— Не на палубу, черт вас раздери! — заорал в ярости Гаррисон.

Неподготовленных людей укачивает особенно быстро. Хорнблауэр видел, как несколько бледных созданий, пошатываясь и оступаясь, кинулись к подветренному фальшборту. Двое резко сели на палубу и обхватили руками голову. Корабль опять вошел в штопор, взмыл на волне и тут же ухнул вниз; душераздирающий вопль на шкафуте повторился. Казалось, это не кончится никогда. Хорнблауэр зачарованно наблюдал, как одного несчастного придурка выворачивает в шпигат. От этого зрелища в желудке потяжелело, он судорожно сглотнул. На лбу, несмотря на холод, проступил пот.

Его тоже укачает, причем в самом скором времени. Хорнблауэр хотел укрыться от всех, проблеваться в одиночестве, вдали от посторонних глаз. Он взял себя в руки, чтобы заговорить с обычным ледяным безразличием, но вместо этого получился какой-то неуместный задор.

— Продолжайте, мистер Буш. Если я понадоблюсь, позовите.

За долгую стоянку в порту он разучился ходить по качающейся палубе — его мотало из стороны в сторону; спускаясь по трапу, он обеими руками цеплялся за поручни. Наконец он благополучно добрался до полупалубы и ввалился в каюту, запнувшись о комингс. Полвил накрывал к обеду.

— Убирайся! — рявкнул Хорнблауэр. — Вон!

Полвил исчез, Хорнблауэр вывалился на кормовую галерею, уцепился за поручень и свесился головой к пенистой кильватерной струе. Он ненавидел морскую болезнь не только за причиняемые ею страдания, но и за крайнюю унизительность. Тщетно уговаривал он себя, что и Нельсон подобным же образом мучился в начале каждого плавания, тщетно напоминал, что всегда выходит в море до предела вымотанным и морально, и физически, потому и становится жертвой морской болезни. Все это было так, однако ничуть не утешало. Он со стоном перегнулся через поручень. Ветер хлестал его.

Теперь, когда задул норд-ост, Хорнблауэр дрожал от холода: толстый бушлат остался в спальной каюте, идти за ним не было сил. Полвила звать не хотелось. «Вот оно, — с горькой иронией думал он, — блаженное уединение, к которому он стремился от сложностей сухопутной жизни». Внизу стонали в цапфах рулевые крюки, под кормовым подзором пузырилась, словно в бродильном чане, белая пена. Барометр падал со вчерашнего дня, дело явно шло к штормовому норд-осту. Будущее не сулило никакого просвета, и Хорнблауэру казалось: сейчас он отдал бы все на свете за тихую гладь устья реки Теймар.

Небось офицеров его никогда не укачивает, а если укачивает, то просто рвет, и они не испытывают таких душераздирающих страданий. На баке мучаются морской болезнью двести человек новичков, их неумолимо подгоняют безжалостные офицеры. Лучше, чтобы тебя заставляли трудиться, невзирая на морскую болезнь, лишь бы, как в данном случае, это происходило без ущерба для дисциплины. Хорнблауэр был абсолютно уверен, что никто на борту не испытывает и половины его мучений. Он опять перегнулся через борт, стеная и чертыхаясь. Опыт говорил, что через три дня будет в отличной форме, но сейчас эти три дня представлялись вечностью. А древесина скрипела, руль стонал, ветер свистел, все сливалось в адском грохоте, и Хорнблауэр, дрожа, цеплялся за поручни.

VI

Когда прошел первый приступ дурноты, Хорнблауэр заметил, что ветер, несомненно, крепчает. Он был порывистым, с дождевыми шквалами, и капли молотили по кормовой галерее. Хорнблауэр внезапно встревожился — что случится, если налетит шквал посильнее, а необученная команда не успеет убрать паруса? Мысль, что он может на глазах у всего каравана постыдно лишиться мачты, пересилила даже морскую болезнь. Машинально он прошел в каюту, надел бушлат и выбежал на палубу. Буша уже сменил Джерард.

— Флагман убавляет паруса, сэр, — сообщил он, козыряя.

— Очень хорошо! Уберите бом-брамсели, — приказал Хорнблауэр, оглядывая горизонт в подзорную трубу.

Караван вел себя, как всякий караван, — растянулся по ветру, словно шкипера только и мечтают сделаться добычей каперов. Индийцы держались более или менее организованной кучкой в миле под ветром, но шесть других кораблей вырвались далеко вперед — видны были только их паруса.

— Флагман сигналит конвою, сэр, — сказал Джерард.

Хорнблауэр чуть было не ответил: «Этого я и ожидал», но вовремя сдержался и ограничился односложным «да», в это время новая вереница флажков побежала по фалам «Плутона».

— Позывные «Калигулы», — читал сигнальный мичман.

— «Прибавить парусов. Занять позицию впереди конвоя».

Значит, Болтона посылают вперед, призвать к порядку ослушников. «Калигула» вновь поставил бом-брамсели и понесся по сердитому морю вдогонку непокорным транспортным судам. Болтону придется подойти на расстояние окрика, а возможно, и выпалить разок из пушки; шкипера торговых судов если и умеют читать флажки, предпочитают их не замечать. Индийцы тоже убрали бом-брамсели — они имели удобное обыкновение убавлять на ночь паруса. Счастливо обладая монополией на торговлю с Востоком, они могли не торопиться и, оберегая покой изнеженных пассажиров, не тревожили их ночными свистками и топотом. Но внешне это выглядело так, будто они замышляют еще дальше отстать от «Калигулы», «Плутона» и транспортов. Любопытствуя, как поведет себя адмирал, Хорнблауэр направил подзорную трубу на «Плутон».

Разумеется, тот разразился очередной вереницей флажков, адресованных непокорным индийцам.

— Бьюсь об заклад, он жалеет, что не может отдать их под трибунал, — со смешком сказал один мичман другому.

— По пять тысяч фунтов за рейс получают их капитаны, — был ответ. — Что им адмирал? Господи, кто по своей воле предпочел бы флот?

Приближалась ночь, ветер крепчал, и по всему выходило, что караван разбредется в самом начале плавания. Хорнблауэру подумалось, что адмирал проявил себя нелучшим образом. Нельзя было отпускать транспорты вперед, флот не принимает оправданий, и посему сэр Перси Лейтон виноват. Интересно, как бы он сам поступил на его месте? Ответа Хорнблауэр так и не придумал, ограничившись признанием глубокой истины, что дисциплина не определяется правом отдать под трибунал. Он не считал, что сам справился бы лучше.

— Вымпел «Сатерленда», — прервал его мысли сигнальный мичман. — «Занять... ночную... позицию»

— Подтвердите, — сказал Хорнблауэр.

Исполнить это было несложно. Ночью «Сатерленду» полагалось находиться в четверти мили на ветре от каравана. Сейчас он как раз двигался к позиции позади индийцев. «Плутон», следуя в кильватере «Калигулы», обогнал их — видимо, адмирал решил использовать свой корабль как связующее звено между двумя половинками разорванного конвоя. Быстро темнело, ветер по-прежнему крепчал.

Хорнблауэр попробовал пройтись по качающейся палубе, чтобы хоть немного согреться и унять озноб; пока он стоял без движения, опять напомнил о себе желудок. Он вцепился в поручень, превозмогая дурноту. Меньше всего ему хотелось, чтобы его стошнило перед ироничным красавцем Джерардом. Голова кружилась от усталости и морской болезни. Он подумал, что если ляжет, то наверняка уснет и во сне позабудет свои мучения. Теплая и уютная койка манила все сильнее. Однако он через силу оставался на палубе, пока в быстро сгущающемся сумраке не убедился, что корабль занял предписанную позицию. Тогда он повернулся к Джерарду:

— Уберите брамсели, мистер Джерард.

Он взял сигнальную доску и, стараясь не думать про мятежный желудок, тщательно вывел подробнейшие указания для вахтенного, все, какие только мог измыслить. Они сводились к тому, чтобы держаться на ветре от каравана и не терять его из виду.

— Вот приказы, мистер Джерард. — На последнем слове голос дрогнул, и ответного «есть, сэр» он, сбегая по трапу, уже не слышал.

Желудок был пуст, поэтому рвало особенно мучительно. Когда Хорнблауэр, пошатываясь, вернулся в каюту, туда сунулся было Полвил. Хорнблауэр обругал его страшными словами и велел убираться вон, затем повалился на койку и пролежал пластом минут двадцать, прежде чем с усилием встал, стянул бушлат, сюртук и в рубашке, жилете и штанах со стоном забрался под одеяло. «Сатерленд» несся на фордевинд, немилосердно качаясь, древесина стенала и жаловалась на разные голоса. Хорнблауэр сжимался всякий раз, как корабль взлетал на волне и койка, на которой он лежал, взмывала футов на двадцать вверх, чтобы тут же устремиться вниз. Однако, поскольку он не мог мыслить последовательно, изнеможение все-таки взяло верх. Он так устал, что заснул мгновенно, невзирая на качку, шум и дурноту.

Спал он так глубоко, что, проснувшись, сперва не понял, где находится. Первым делом он ощутил знакомую и в то же время неожиданную качку. Сквозь распахнутую дверь из кормовой галереи проникал серый полусвет. Хорнблауэр, моргая, огляделся. Одновременно он вспомнил, где находится, и ощутил позыв к рвоте. Он осторожно встал, шатаясь прошел через каюту к поручням галереи и под пронизывающим ветром стал страдальчески вглядываться в серое, освещенное первыми рассветными луча-

ми море. Не видно было ни паруса; он так испугался, что сразу пришел в себя. Натянув сюртук и бушлат, вышел на шканцы.

Джерард все еще был здесь, значит, не кончилась его вахта. Хорнблауэр угрюмо кивнул на приветствия Джерарда и стал глядеть вперед, на испещренное белыми барашками серое море. В такелаже свистел ветер, крепкий, не настолько, впрочем, чтобы брать рифы на марселях. Он дул прямо с кормы, в спину стоящему у резного поручня Хорнблауэру. Впереди неровным строем двигались четыре индийца, потом Хорнблауэр различил пятый и шестой больше чем в миле по курсу. Ни флагмана, ни грузовых судов, ни «Калигулы» — ничего видно не было. Хорнблауэр поднял рупор.

— Эй, на мачте! Флагман видите?

— Нет, сэр. Ничего не видать, сэр, окромя индийцев, сэр.

Вот оно как, подумал Хорнблауэр, вешая рупор на место. Многообещающее начало кампании. Судя по курсовой доске, «Сатерленд» всю ночь строго держался выбранного направления, в вахтенном журнале была отмечена скорость то восемь, то девять узлов. Погода ясная, скоро они увидят Уэссан — Хорнблауэр сделал все, что от него требовалось. Индийцы в пределах видимости, он идет одним с ними курсом, паруса соответствуют погоде. Он был бы больше в этом уверен, если бы не тошнотворная тяжесть в желудке, а так вызванная морской болезнью хандра нагоняла дурные предчувствия. Если начальству потребуется козел отпущения, выберут его. Он прикинул силу ветра и решил, что неразумно прибавлять парусов и догонять остальной караван. Мысль, что нет способа оградить себя от будущих нареканий, успокоила. Он даже приободрился. Жизнь в море научила его философски принимать неизбежное.

Пробило восемь склянок, позвали подвахтенных. Буш вышел сменить Джерарда на шканцах. Хорнблауэр почувствовал на себе пристальный взгляд первого лейтенанта и сделал суровое лицо. Он взял себе за правило не говорить без необходимости и так был этим правилом доволен, что намеревался следовать ему и впредь. Вот и теперь он с удовольствием не обращал внимания на Буша, который нет-нет да и поглядывал на него озабоченно, словно пес на хозяина, готовый в любую минуту откликнуться. Тут Хорнблауэру пришло в голову, что выглядит он довольно жалко: взъерошенный, небритый и, вероятно, зеленый от морской болезни. В расстроенных чувствах он зашагал вниз.

В каюте он сел и закрыл лицо руками. Мебель раскачивалась в такт скрипению переборок. Пока он не смотрел на качающееся предметы, его, по крайней мере, не выворачивало. После Уэссана можно будет лечь и закрыть глаза. Тут вошел Полвил, балансируя подносом, как заправский жонглер.

— Завтрак, сэр, — объявил Полвил и продолжил словоохотливо: — Не знал, что вы встали, сэр, пока левая вахта не сообщила мне по пути вниз. Кофе, сэр. Мягкий хлеб, сэр. На камбузе горит огонь, если пожелаете, сэр, я в два счета поджарю ломтики.

Хорнблауэр с внезапным подозрением взглянул на слугу. Полвил не предложил ему ничего, кроме хлеба — ни отбивной, ни ветчины — ничего из тех вкусных и дорогих вещей, на которые капитан так безрассудно раскошелился. А ведь Полвилу известно, что он со вчерашнего дня ничего не ел, и Полвил имеет обыкновение пичкать его даже

чрезмерно. С чего бы это Полвил вдруг предлагает ему французский завтрак? Под взглядом Хорнблауэра обычно невозмутимый Полвил потупился — это подтверждало подозрение. Для Полвила не тайна, что его капитана укачивает.

— Поставьте на стол, — буркнул Хорнблауэр, не в силах сказать что-либо еще.

Полвил поставил поднос, но не уходил.

— Когда вы мне понадобитесь, я позову, — сказал Хорнблауэр сурово.

Сжав руками виски, он попробовал припомнить вчерашний день. Не только Полвил, но и Буш с Джерардом — а значит, и вся команда — знают о его слабости. Стоило задуматься, и он припомнил кой-какие мелочи, утвердившие его в этой догадке. Сперва он просто расстроился, даже застонал. Потом разозлился. Наконец верх взяло чувство юмора, и Хорнблауэр улыбнулся. Тут ноздрей достиг приятный аромат кофе. Он потянул носом: запах пробуждал одновременно голод и отвращение. Победил голод. Хорнблауэр налил и отхлебнул кофе, тщательно избегая останавливаться взглядом на качающихся предметах. Почувствовав в желудке блаженную теплоту, он машинально откусил хлеба и, только очистив поднос, засомневался, стоило ли это делать. Однако удача ему сопутствовала: не успела накатить новая волна дурноты, как в дверь постучал мичман и сообщил, что видно землю. Начав действовать, Хорнблауэр позабыл о морской болезни.

С палубы Уэссан был еще не виден, только с мачты, а лезть по вантам Хорнблауэр не собирался. Ветер свистел перебирая натянутые тросы у него над головой. Он глядел на серое море, туда, где лежала за горизонтом Франция. Из всех приметных морских ориентиров остров Уэссан, быть может, чаще других фигурировал в английской морской истории: Дрейк и Блейк, Шовел и Рук, Хоук и Боскауэн, Родни, Джервис и Нельсон каждый в свое время глядели отсюда на восток, как сейчас Хорнблауэр. Три четверти британского торгового флота огибали Уэссан на пути в дальние края и возвращаясь домой. Лейтенантом под началом Пелью Хорнблауэр мотался на «Неустанном» в виду Уэссана во время блокады Бреста. В этих самых водах «Неустанный» и «Амазонка» загнали «Друа-де-л'ом» в полосу прибоя, отправив на тот свет тысячу французских моряков. Подробности этого яростного сражения тринадцатилетней давности он помнил так же отчетливо, как бой с «Нативидадом» всего шесть месяцев назад, — признак надвигающейся старости.

Хорнблауэр стряхнул накатившую на него задумчивость и занялся делами: проложил курс на Финистерре и заставил индийцев ему следовать — первое оказалось значительно проще второго. Целый час пришлось сигналить и даже палить из пушки, прежде чем ведомые удовлетворительно повторили сигналы, Хорнблауэру казалось, что шкипера нарочно не понимают сигналов, перевирают или оставляют без внимания. «Лорд Морнингтон» десять минут держал сигнал приспущенным, словно нарочно, чтобы его было не прочесть. Только когда «Сатерленд» приблизился почти на расстояние окрика, а Хорнблауэр дошел до точки кипения, сигнальный фал наконец распутали и подняли флажки правильно.

Видя это, Буш язвительно хохотнул и заметил, что индийцы еще бестолковей военного корабля в начале плавания, но Хорнблауэр сердито затопал прочь, оставив Буша таращиться ему вслед. Нелепое происшествие разозлило Хорнблауэра: он боялся, что сам выглядит нелепо. Зато он на время позабыл про морскую болезнь и только простояв некоторое время в одиночестве у правого борта — Буш тем временем отдавал приказы, по которым «Сатерленд» вернулся к позиции на ветре от каравана, — и успокоившись, вновь ощутил тревожные симптомы. Он уже шел вниз, когда внезапный крик Буша вернул его на шканцы.

— «Уолмерский замок» привелся к ветру, сэр!

Хорнблауэр поднял подзорную трубу и направил ее за левый борт. «Уолмерский замок» — передовой корабль каравана — был от «Сатерленда» дальше всего, милях примерно в трех. Ошибиться было невозможно — корабль повернул и теперь несся в наветренную сторону.

— Они сигналят, сэр, — сказал Винсент. — Но я не могу прочесть. Может быть, номер двадцать девять, что означает «прекратить сражение» — не это же они хотят сказать.

— Эй, на мачте! — заорал Буш. — Что видите на левой скуле?

— Ничего, сэр!

— Этот сигнал спустили, сэр, — продолжил Винсент. — Вот подняли новый. Номер одиннадцать, сэр. «Вижу неприятеля».

— Эй, Сэвидж, — сказал Буш. — Берите подзорную трубу и лезьте на мачту.

Следующий корабль в рассыпанной колонне тоже привелся к ветру. Сэвидж был на середине вант, когда впередсмотрящий закричал:

— Вижу их, сэр! Два люгера на левой скуле.

Люгеры возле Уэссана — французские каперы и никто больше.

Быстрые, маневренные, с большой командой, опытом не уступающей британскому флоту, они пойдут на любую опасность, лишь бы захватить богатенького ост-индийца.

Такая добыча озолотит их капитанов. Буш, Винсент и все остальные на палубе взглянули на Хорнблауэра. Если он потеряет хоть один из доверенных его заботам кораблей, то безнадежно уронит себя в глазах Адмиралтейства.

— Свистать всех наверх, мистер Буш, — сказал Хорнблауэр. Взволнованный приближением боя, он позабыл о драматической стороне дела и не рисовался перед подчиненными; впрочем, занятый расчетами, он и так не обнаружил волнения.

Все индийцы несут пушки — у «Лорда Морнингтона» так по восемнадцать орудийных портов в каждом борту, — и на большом расстоянии они от капера отобьются. Поэтому люгеры постараются взять их на абордаж — ни абордажные сетки, ни команда торгового судна не остановят снедаемых алчностью французов. Люгеры будут маневрировать, чтобы отрезать кого-то из индийцев от «Сатерленда», — пока тот будет лавировать против ветра, французы захватят судно и уведут из-под самого его носа. До этого доводить нельзя, однако индийцы тихоходны, команда «Сатерленда» необучена, а французы маневрируют с быстротой молнии — к тому же их двое, отбиваться придется сразу от обоих.

Теперь и с палубы можно было различить над самым горизонтом темные прямоугольники обрасопленных круто к ветру парусов. Они приближались, исполненные угрозы, и Хорнблауэр уже различал не одни призрачные силуэты на фоне ясного неба. Люгеры были малы, не больше чем на двадцать пушек каждый, да и то девятифунтовок — подойди они близко к «Сатерленду», тот потопил бы их двумя бортовыми залпами. Но они быстроходны — над горизонтом как раз показались их корпуса, и Хорнблауэр различал белую воду под водорезами. Люгеры шли по меньшей мере на румб круче к ветру, чем это возможно для «Сатерленда». На каждом человек полтораста, если не больше: каперам не приходится заботиться об удобствах для команды, достаточно выскользнуть из порта, захватить приз и скрыться обратно.

— Мы подготовим корабль к бою? — осмелился спросить Буш.

— Нет, — буркнул Хорнблауэр. — Поставьте людей на боевые посты и погасите огонь.

Серьезного сражения не предвидится — нет необходимости снимать переборки, подвергать опасности свое имущество и живность. Однако шальное девятифунтовое ядро, угодившее в камбузный огонь, может поджечь весь корабль. Под приглушенные угрозы и брань унтерофицеров матросы двинулись к своим постам. Иных пришлось вести или подталкивать — кое-кто все еще путал правый и левый борта.

— Пожалуйста, зарядите и выдвиньте пушки, мистер Буш.

Больше половины матросов никогда не видели стреляющей пушки. Сейчас они впервые услышат сумасшедшую музыку грохочущих по доскам орудийных катков. У Хорнблауэра при этом звуке перехватило дыхание — столько пробудилось воспоминаний... Он пристально наблюдал за каперами, но тех выдвинутые пушки явно не напугали. Люгеры шли прежним курсом, в бейдевинд, наперехват конвою. Впрочем, опасность, как никакие приказы, согнала торговцев вместе. Только страх мог заставить шкиперов сбиться в такую тесную кучу. По бортам натягивали абордажные сетки, выдвигали пушки. Слабая защита, но сейчас главное, что они вообще готовы защищаться.

Громыхнул выстрел, у борта первого капера показался клуб дыма; куда угодило ядро, Хорнблауэр не видел. Тут на грот-мачтах обоих люгеров взмыли трехцветные флаги; в ответ на этот наглый вызов Хорнблауэр приказал поднять на флагштоке «Сатерленда» красный военно-морской флаг. В следующую секунду люгеры поравнялись с «Уолмерским замком», самым дальним из кораблей. Они явно намеревались подойти еще ближе.

— Поставьте брамсели, мистер Буш, — сказал Хорнблауэр. — Право руля. Одерживай. Так держать.

«Уолмерский замок» в страхе метнулся вбок и едва не налетел на соседа справа — тот еле-еле успел положить руль на борт. В следующее мгновение «Сатерленд» оказался рядом. Люгеры отпрянули, уворачиваясь от грозного бортового залпа, первая неуклюжая атака была отбита.

— Обстенить грот-марсель! — проревел Хорнблауэр.

Крайне важно сохранить выгодную позицию на ветре от индийцев — отсюда «Сатерленд» мгновенно устремится туда, где возникнет угроза. Конвой медленно продвигался вперед, люгеры держались впереди. Хорнблауэр не сводил подзорной трубы с маленьких суденышек, по многолетней привычке удерживая их в поле зрения, как ни кренилась палуба под ногами. Они со слаженностью часового механизма повернули и понеслись к «Лорду Морнингтону» на правом фланге, как гончие, преследующие оленя, чтобы вцепиться ему в глотку. «Лорд Морнингтон» уклонился от курса, «Сатерленд» понесся к нему, люгеры молниеносно повернули оверштаг и вновь двинулись к «Уолмерскому замку».

— Руль круто направо, — отрывисто бросил Хорнблауэр. К его облегчению, «Уолмерский замок» сумел обстенить марсель, и «Сатерленд» поспел вовремя. Он срезал

«Уолмерскому замку» корму, и Хорнблауэр увидел усатого шкипера за штурвалом и полдюжины туземных матросов, в панике носящихся по палубе. Люгеры умчались прочь, вновь увернувшись от пушек «Сатерленда». Вокруг одного из торговых судов клубился дым: очевидно, оно выпустило в никуда целый бортовой залп.

— Зря порох тратят, — подсказал Буш, но Хорнблауэр, занятый расчетами, не ответил.

— Пока им хватит ума держаться кучей... — начал Кристел.

Это было очень важно — если караван рассеется, по частям его Хорнблауэру не защитить. Ни славы, ни чести не сулило ему состязание между линейным кораблем и двумя маленькими каперами — если Хорнблауэр их отобьет, никто про это не вспомнит, если же потеряет хоть одно из вверенных ему судов, грянет всеобщее негодование. Он думал было просигналить подопечным, чтобы держались вместе, но тут же отказался от этой мысли. Сигналы только собьют их с толку, да еще половина неправильно прочтет флажки. Лучше положиться на их природный инстинкт самосохранения.

Каперы вновь привелись к ветру и двинулись в бейдевинд прямо за кормой у «Сатерленда». По одному их виду, по узким черным корпусам и круто наклоненным мачтам Хорнблауэр угадывал, что они замыслили новый маневр. Он не сводил с них напряженных глаз. Передовой люгер повернул направо, второй — налево. Они разошлись и теперь оба неслись в бакштаг, накренясь под резким ветром, словно олицетворение зловещей целесообразности, и вода пенилась под их носами. Оторвавшись от «Сатерленда», они атакуют караван с противоположных флангов. Едва успев отогнать одного, он должен будет возвращаться и отгонять другого.

На секунду Хорнблауэр подумал, не привести ли ему весь караван к ветру, но только на секунду. В попытке выполнить такой маневр торговые суда либо рассеются, либо покалечат друг друга и в любом случае станут легкой добычей неприятеля. Остается разбираться с каперами по очереди. Это скорее всего безнадежно, но отбросив единственно возможный план, ничего не выиграешь. Хорнблауэр решил играть до последнего.

Он выпустил из рук подзорную трубу и, цепляясь за бизань-ванты, вспрыгнул на поручень. Сосредоточенно вгляделся в своих врагов, поворачиваясь то к одному, то к другому, прикидывая их скорость, просчитывая курс. Лицо застыло от напряжения. Правый люгер был чуть ближе к каравану — он и нападет первым. Если сперва разделаться с ним, останется минута, чтобы вернуться и атаковать второй. Еще взгляд на противника — и Хорнблауэр утвердился в принятом решении. Теперь он готов был поставить на него свою репутацию, о которой, впрочем, от волнения позабыл и думать.

— Два румба вправо! — крикнул он.

— Два румба вправо! — откликнулся рулевой.

«Сатерленд» двинулся из кильватера каравана наперерез первому люгеру. Тот, в свою очередь, метнулся вбок, чтобы не угодить под сокрушительный бортовой залп, и теперь быстро удалялся. Более ходкий, он обгонял и караван и эскорт. «Сатерленд», стараясь держаться между капером и торговыми судами, увлекался все дальше и дальше от второго люгера. Это Хорнблауэр предвидел, на этот риск шел с самого начала — если французы будут действовать слаженно, он проиграет. Ему не удастся отогнать первый люгер далеко в подветренную сторону и быстро вернуться ко второму. Он и так сильно продвинулся по ветру, однако продолжал нестись прежним курсом, теперь вровень с караваном и первым люгером. Тут второй люгер повернул, готовясь атаковать караван.

— Командуйте к брасам, мистер Буш! — крикнул он. — Руль круто направо.

«Сатерленд» развернулся и, накренясь, ринулся в галфвинд, неся чуть больше парусов, чем это разумно. Рассекая воду, мчался он к индийцам, которые в смятении пытались уклониться от врага. Словно сквозь лес парусов и мачт Хорнблауэр видел темные паруса люгера, настигавшего беззащитный «Уолмерский замок» — то ли тот плохо слушался руля, то ли им плохо управляли, в общем, он приотстал. Хорнблауэр просчитывал десяток факторов разом. Мозг работал, как сложнейшая машина, предугадывая курс люгера и шести индийцев, учитывая возможные вариации, вызванные личными особенностями капитанов. Надо было держать в уме скорость «Сатерленда» и ветровой снос.

Обходить рассыпавшийся караван — слишком долго, это лишит его преимуществ внезапности. Хорнблауэр тихо приказал рулевому править в сужающийся просвет между двумя судами. На «Лорде Морнингтоне» увидели, что к ним несется двухпалубник, и повернули — на это Хорнблауэр и рассчитывал.

— Приготовиться у пушек! — прогремел он. — Мистер Джерард! Дадите бортовой залп по люгеру, когда будем проходить мимо.

«Лорд Морнингтон» остался позади, теперь впереди «Европа» — она только что повернула и, казалось, сейчас врежется в «Сатерленд».

— Чтобы ей лопнуть! — орал Буш. — Чтоб...

«Сатерленд» срезал «Европе» нос, ее ватерштаг чуть не проехал по их бизань-вантам. В следующую секунду «Сатерленд» проскочил в сужающийся просвет между двумя другими судами. Вот и «Уолмерский замок» — люгер, не ожидающий увидеть «Сатерленд» так близко, уже взял его на абордаж.

В наступившей тишине слышен был лязг оружия — французы карабкались на низкую палубу индийца. Тут они увидели несущийся на них линейный корабль. Матросы попрыгали обратно в люгер и объединенными лихорадочными усилиями двухсот рук подняли громоздкий марсель. Люгер развернулся, как волчок — но поздно.

— Обстените крюйсель, — бросил Хорнблауэр Бушу. — Мистер Джерард!

«Сатерленд» замер, готовясь нанести сокрушительный удар.

— Цельсь! — завопил Джерард, вне себя от возбуждения. Он был у баковой секции пушек, которой предстояло первой поравняться с люгером. — Ждите, пока пушки укажут на него! Пли!

Корабль медленно разворачивался, пушки стреляли одна за другой — время для Хорнблауэра замедлилось, и ему казалось, что это длится минут пять. Выстрелы шли неравномерно, некоторые канониры явно поджигали раньше, чем их орудия поравнялись с люгером. Углы тоже были выбраны неверно — ядра падали по обоим бортам люгера и далеко за ним. И все же кто-то попал. От люгера полетели щепки, порвались несколько вант. На людной палубе возникли как бы водовороты — это там, где пролетело ядро.

Свежий ветер мгновенно развеял пороховой дым, открыв взорам люгер в сотне ярдов от «Сатерленда». Расправив паруса, он быстро скользил по воде — у него еще была надежда спастись. Хорнблауэр велел рулевому спуститься под ветер — он хотел дать второй бортовой залп. Тут девять клубов дыма над бортом люгера возвестили, что французы стреляют из своих пушечек.

Целили они метко. Коротко пропело в ухе пролетевшее над головой ядро, затрещали доски — еще два ядра угодили в корпус. Дистанция большая — толстая деревянная обшивка должна выдержать.

Хорнблауэр, перегнувшись через поручень, услышал, как грохочут катки, — на «Сатерленде» вновь выдвигали пушки.

— Цельте лучше! — прокричал он. — Ждите, пока пушки поравняются с люгером!

«Сатерленд» продолжал уваливаться, пушки гремели по одной, по две. На каждую из семидесяти четырех пушек приходилось лишь по одному опытному матросу, и хотя офицеры, распоряжающиеся батареей левого борта, отослали часть своих людей на правую, опытных канониров они, естественно, на всякий случай приберегли. А в старой команде и не было семидесяти четырех опытных наводчиков — Хорнблауэр вспомнил, как трудно было составлять вахтенное расписание.

— Запальные отверстия закрыть! — прокричал Джерард. Голос его звенел от волнения. — Отлично! Молодцы, ребята!

Грот-мачта люгера вместе со стеньгой и вантами наклонилась к борту и зависла на несколько мгновений, прежде чем рухнуть. Однако французы отстреливались — один раз выпалило ближайшее к корме орудие. Хорнблауэр повернулся к рулевому. Он собирался подвести «Сатерленд» на расстояние пистолетного выстрела и добить противника. Волнение обуревало. В последнюю секунду он вспомнил про свои обязанности: он дал другому люгеру время подобраться к каравану, и теперь дорога каждая секунда. Приказывая положить «Сатерленд» на другой галс, он отметил свое возбуждение как занятный психологический феномен. Вдогонку им с люгера выстрелили еще раз — грохот дико прокатился над бурным морем. Черный корпус люгера походил на искалеченного жука-плавунца. На палубе кто-то размахивал трехцветным флагом.

— Прощай, мусью, — сказал Буш. — Придется тебе попотеть, пока доползешь до Бреста.

«Сатерленд» мчался новым курсом; индийцы развернулись и, словно овечье стадо, подгоняемое псом-люгером, устремились к «Сатерленду». Увидев, что тот несется навстречу, капер вновь метнулся в сторону и повернул оверштаг, чтобы вновь атаковать «Уолмерский замок». Хорнблауэр развернул «Сатерленд», и «Уолмерский замок» бросился под его защиту. Отбиваться от одного врага несложно было даже неповоротливому «Сатерленду». Через несколько минут это поняли даже французы — бросив преследование, они двинулись на подмогу покалеченному товарищу.

Хорнблауэр наблюдал, как развернулся и наполнился большой люгерный парус, как суденышко накренилось и пошло в бейдевинд; другой капер, тот, что лишился мачт, уже пропал из виду. Приятно было видеть, как удирает последний француз. На месте его капитана Хорнблауэр бросил бы товарища — пусть выбирается как знает, — а сам преследовал бы конвой до темноты; глядишь, ночью кто-нибудь из торговцев и отстанет.

— Можете закрепить пушки, мистер Буш, — сказал Хорнблауэр наконец.

Кто-то на главной палубе закричал «ура!», вся команда подхватила. Матросы размахивали шапками, словно только что выиграли Трафальгарское сражение.

— Молчать! — заорал Хорнблауэр вне себя от ярости. — Мистер Буш, пошлите матросов ко мне на корму.

Они подошли, ухмыляясь, толкаясь и дурачась, как школьники; даже новички в пылу сражения позабыли про морскую болезнь. При виде такого идиотизма у Хорнблауэра закипела кровь.

— Молчать! — рявкнул он. — Чем это вы таким отличились? Отпугнули пару люгеров не больше нашего баркаса! Двумя бортовыми залпами с семидесятичетырехпушечного корабля сбили одну-единственную мачту! Да вы должны были разнести его в щепки! Два бортовых залпа, приготовишки несчастные! К настоящему сражению вы научитесь стрелять — об этом позабочусь я и девятихвостая кошка. А как вы ставите паруса! Португальские негры — и те управляются лучше!

Нельзя отрицать, что слова, идущие от чистого сердца, куда действеннее любых риторических ухищрений. Матросов глубоко впечатлил неподдельный гнев капитана, раздосадованного их бестолковостью и неповоротливостью. Они повесили голову и переминались с ноги на ногу, осознав, что не совершили никаких особенных подвигов. Надо быть справедливым — столь бурное ликование больше чем наполовину было вызвано последним отчаянным маневром, когда они неслись между близко идущими судами. В последующие годы они приукрашивали и приукрашивали эту историю, ставшую излюбленной матросской байкой, пока не стали уверять, будто Хорнблауэр в ревущий шторм провел двухпалубный корабль сквозь эскадру в сто судов, причем все сто в это время двигались разными курсами.

— Прикажите играть отбой, мистер Буш, — сказал Хорнблауэр. — А когда матросы позавтракают, можете устроить парусные учения.

Теперь возбуждение сменилось реакцией, и ему хотелось поскорее укрыться на кормовой галерее. Но вот Уолш, врач, рысцой подбежал по палубе и козырнул.

— Докладываю, сэр, — сказал он. — Один уорент-офицер убит. Никто из офицеров и матросов не ранен.

— Убит? — У Хорнблауэра отвисла челюсть. — Кто убит?

— Джон Харт, мичман, — отвечал Уолш.

Харт был способным матросом на «Лидии», Хорнблауэр сам выхлопотал ему уорент-офицерский патент.

— Убит? — повторил Хорнблауэр.

— Если хотите, сэр, я помечу его «смертельно ранен», — сказал Уолш. — Ему оторвало ногу девятифунтовым ядром, влетевшим в орудийный порт номер одиннадцать нижней палубы. Он был еще жив, когда его принесли вниз, но в следующую минуту умер. Разрыв подколенной артерии.

Уолш был назначен недавно и под началом Хорнблауэра не служил — не то воздержался бы от таких подробностей.

— Прочь с дороги, черт вас подери! — рявкнул Хорнблауэр.

Желанное одиночество испорчено. Позже предстоят похороны — флаг приспущен, реи в знак траура наклонены. Уже это раздражало. И погиб Харт — улыбчивый долговязый юноша. Всякая радость улетучилась. Буш на шканцах счастливо улыбался, довольный недавним успехом и предстоящими учениями. Он охотно побеседовал бы с капитаном, Джерард — тот стоял рядом — похоже, рвется обсудить свои драгоценные пушки. Хорнблауэр по-

смотрел на них сурово, подождал — не заговорят ли. Однако они не зря служили с ним столько лет — оба разумно промолчали.

Он повернулся и пошел вниз; индийцы подняли сигналы, дурацкие поздравления, вероятно, половина безграмотная. Можно положиться на Буша — он будет сигналить «не понял», пока эти идиоты не исправятся, а потом поднимет единственный сигнал — подтверждение. Хорнблауэр не хотел никого видеть, не хотел никого слышать. Лишь одно утешение обрел он в этом ненавистном мире — пока «Сатерленд» идет на фордевинд, а караван под ветром, на галерее можно укрыться от всех, даже от назойливых подзорных труб, направленных с других кораблей.

VII

Хорнблауэр докуривал сигару, когда наверху заиграли построение. Запрокинув голову и глядя из-под укрытия галереи на блаженно-голубое небо, он выпустил дым, потом поглядел вниз, на синее море и ослепительно-белую кильватерную струю, вырывающуюся из-под кормового подзора. Над головой отдавалась чеканная поступь морских пехотинцев (они выстраивались на полуюте), а затем — короткое шарканье тяжелых башмаков (это они по приказу своего капитана выровняли строй). Когда все снова стихло, Хорнблауэр выбросил сигару за борт, одернул парадный мундир, водрузил на голову треуголку и — левая рука на рукояти шпаги — с достоинством вышел на полупалубу. На шканцах ждали Буш, Кристел и вахтенный мичман. Они отдали честь, с кормы донеслось щелк-щелк-щелк — пехотинцы взяли накараул.

Хорнблауэр неторопливо огляделся: воскресной его обязанностью было осматривать корабль, и он, пользуясь случаем, наслаждался живописной картиной. В такт качанию корабля в голубом небе над головой медленно кружили пирамиды парусов. Палубы были белы, как снег, — Буш добился этого десятидневными упорными трудами: и в это утро воскресного смотра напряженная упорядоченность военного корабля ощущалась особенно остро. Из-под опущенных ресниц Хорнблауэр украдкой обозревал команду, выстроившуюся одной длинной шеренгой на шкафуте и главной палубе. Матросы стояли навытяжку, молодцеватые в парусиновых штанах и рубахах. Его интересовало их настроение, и он знал, что со шканцев увидит больше, чем проходя вблизи. Можно угадать некий вызов в том, как стоит недовольная команда, удрученную выдадут вялость и апатия. К своей радости, Хорнблауэр не приметил ни того, ни другого.

Десять дней тяжелого труда, постоянной муштры, неусыпного надзора, суровости, смягченной добродушием — все это пошло матросам на пользу. Три дня назад Хорнблауэр вынужден был пятерых выпороть. Он с каменным лицом выстоял экзекуцию, хотя от свиста девятихвостой кошки у него сжималось внутри.

Одному из наказанных — старому матросу, который подзабыл, чему его учили, и нуждался в напоминании, — это, возможно, будет в некотором роде наукой, четырех остальных исполосованные спины не научат ничему. Хорошими моряками им не стать, обычные скоты, которых скотское обращение по крайней мере не сделает хуже. Пусть на их примере самые своенравные поймут, чем чревато непослушание, — люди необразованные усваивают лишь то, что видели своими глазами. Лекарство это силь-

нодействующие, тут важно не пересолить, однако и слишком малая доза может не подействовать. Беглый взгляд со шканцев убеждал Хорнблауэра, что отмерено было в аккурат.

Он еще раз огляделся, любуясь красотой образцового корабля, белых парусов, голубого неба, багряно-белыми мундирами морской пехоты, сине-золотыми офицеров; законченный артистизм картине придавал последний штрих, легкое напоминание, что даже в день смотра не прекращается напряженное биение корабельной жизни. Более четырехсот человек стоят навытяжку, ловя малейшее капитанское слово, однако рулевой у штурвала не сводит глаз с нактоуза и нижней шкаторины грота, впередсмотрящий на мачте и вахтенный офицер с подзорной трубой своим видом напоминают, что корабль движется выбранным курсом и готов исполнять свой долг перед королем и отечеством.

Хорнблауэр начал обход. Он прошелся вдоль выстроенных в шеренги пехотинцев, но глаза его скользили по солдатам, не замечая их. Капитан Моррис и сержанты без него проследят, чтобы пуговицы были начищены, а портупеи натерты белой глиной. Пехотинцев, в отличие от матросов, муштровали до полного автоматизма — Хорнблауэр мог не забивать себе ими голову. Даже сейчас, через десять дней после выхода в море, он не знал в лицо и по имени почти ни одного из девяноста стоящих на палубе солдат.

Он прошел мимо выстроенных в шеренгу матросов, мимо застывших перед строем дивизионных офицеров. Это было любопытнее. Матросы стояли подтянутые, ладные в белой одежде — интересно, многие ли догадываются, что плату за штаны и рубахи удержали из нищенского жалованья, которое выдали им при вербовке? Некоторые новички страшно обгорели, неосторожно подставившись вчера под палящее солнце, у светловолосого верзилы сошла почти вся кожа с плеч, загривка и лба. Хорнблауэр узнал Уэйтса, осужденного за кражу овец на выездной сессии в Эксетере, — неудивительно, что он так обгорел, ведь за долгие месяцы в тюрьме кожа его совершенно побелела. Волдыри наверняка причиняют чудовищную боль.

— Проследите, чтобы Уэйтс зашел сегодня к врачу, — сказал Хорнблауэр дивизионному офицеру. — Пусть ему дадут гусиного жира или что там пропишет врач.

— Есть, сэр, — отвечал унтер-офицер.

Хорнблауэр прошел вдоль шеренги, внимательно разглядывая каждого. Лица, которые прочно засели в памяти, лица людей, чьи фамилии он и сейчас с трудом припоминал. Лица, которые он изучал два года назад в далеком Тихом океане на борту «Лидии», лица, которые он впервые увидел несколько дней назад, когда Джерард привез из Сент-Ива полную шлюпку ничего не соображающих пленников. Смуглые лица и бледные, мальчишеские и пожилые, глаза голубые, карие, серые. Множество мимолетных впечатлений застревали у Хорнблауэра в мозгу — он будет переваривать их позже, одиноко прогуливаясь на кормовой галерее и намечая, как еще улучшить команду.

«Симса надо произвести в бизань-марсовые старшины. Он справится. А это кто? Даусон? Нет, Даукинс. Стоит с кислой миной. Из шайки Годдара и, похоже, до сих пор недоволен, что Годдара высекли. Надо запомнить».

Солнце палило, корабль мягко качался на спокойном море. С команды Хорнблауэр перенес внимание на корабль — крепление пушек, укладку тросов, чистоту палуб, камбуза, полубака. Делал он это для проформы: небеса обрушились бы прежде, чем Буш недоглядел за своими обязанностями. Но Хорнблауэр продолжал с самым важным видом осматривать корабль. Странным образом это производит впечатление на матросов — бедные глупцы станут больше стараться для Буша, полагая, что Хорнблауэр за ним приглядывает, и больше стараться для Хорнблауэра, полагая, что от его взгляда ничего не укроется. К каким только обманам он ни прибегает, чтобы завоевать уважение команды! Незаметно для других Хорнблауэр невесело усмехнулся.

— Я доволен смотром, мистер Буш, — сказал он, вернувшись на шканцы. — Не надеялся застать корабль в таком порядке. Буду ожидать дальнейших улучшений. Теперь можете оснастить церковь.

Воскресные службы ввело богобоязненное Адмиралтейство, иначе Хорнблауэр как истинный последователь Гиббона постарался бы без них обойтись. По крайней мере ему удавалось не брать на борт капеллана — священников он не выносил на дух. Он смотрел, как матросы тащат скамейки для себя и стулья для офицеров. Работали они весело и споро, хотя и не с той заученной слаженностью, которая отличает вышколенную команду. Браун — старшина капитанской шлюпки — накрыл скатертью шканцевый нактоуз, сверху положил капитанские Библию и молитвенник. Хорнблауэр не любил эти службы: всегда оставалась вероятность, что какой-нибудь начетчик из числа подневольных прихожан — католик или диссентер — не пожелает присутствовать. Религия — единственная сила, способная разорвать дисциплинарные путы; Хорнблауэр не забыл одного не в меру ревностного подштурмана, утверждавшего, что капитан якобы не вправе читать благословение — как будто он, королевский представитель,

Божий представитель, в конце концов — не может благословлять, если ему вздумается!

Он сумрачно оглядел рассевшихся матросов и принялся читать. Раз уж приходится это делать, можно с тем же успехом делать хорошо. Читая, он, как всегда, восхитился красотой кранмеровской прозы и точным выбором слов. Кранмера[1] сожгли на костре двести пятьдесят лет назад — лучше ли ему оттого, что сейчас читают его молитвенник?

Буш оттарабанил отрывок из Священного Писания громко и без выражения, словно окликал впередсмотрящего на фор-салинге. Потом Хорнблауэр прочел начальные строки псалма, скрипач Салливан заиграл первые ноты, Буш подал сигнал петь (сам Хорнблауэр никогда бы на такое не решился, оправдываясь тем, что он не фигляр и не итальянский оперный дирижер), команда разинула глотки и взревела.

Но и псалмы бывают не вполне бесполезны. По тому, как поет команда, капитан может многое узнать о ее настроении. В это утро то ли псалом попался особенно любимый, то ли матросы радовались солнечному свету, но горланили они от души, а Салливан запиливал на скрипке экстатическое облигато. Корнуольцы, видимо хорошо знавшие псалом, пели на голоса, привнося гармонию в немелодичный ор остальных. Хорнблауэр этого не замечал — его немузыкальное ухо не различало мелодий, и прекраснейшая музыка вдохновляла его не больше, чем грохот телеги по булыжной мостовой. Слушая непонят-

[1] Кранмер, Томас (1489–1586), архиепископ Кентерберийский в правление Генриха VIII, один из отцов английской Реформации, автор «Книги общих молитв». Сожжен на костре при Марии Кровавой.

ный гул, глядя на сотни разинутых ртов, он по обыкновению гадал: неужели легенда о музыке имеет под собой какое-то основание? Неужели другие люди слышат что-то кроме шума, или он единственный на борту не подвергся добровольному самообольщению?

Тут он увидел юнгу в первом ряду. Вот для кого псалом, безусловно, не просто шум! Юнга плакал навзрыд, стараясь в то же время держать спину прямой, а большие слезы бежали по его щекам и нос шмыгал. Что-то растрогало бедного мальчугана, задело какую-то струну в его памяти. Может быть, он последний раз слышал этот псалом дома, в знакомой церквушке, рядом с матерью и братьями... Сейчас он охвачен нестерпимой тоской по дому. Когда пение смолкло, Хорнблауэр порадовался и за себя, и за юнгу — следующий ритуал приведет мальчика в чувство.

Он взял «Свод законов военного времени» и стал читать, как предписывало ему Адмиралтейство. «Свод законов военного времени» звучал каждое воскресенье на каждом из кораблей его британского величества. Хорнблауэр читал его в пятисотый, наверное, раз, помнил наизусть каждую строчку, каждый период, каждый поворот фразы, и читал хорошо. Это лучше, чем долгое богослужение или тридцать девять догматов англиканского вероисповедания. Вот сухой, без полутонов, кодекс, суровый призыв к долгу простому и ясному. Какой-то адмиралтейский клерк или крючкотвор-стряпчий был не меньше Кранмера одарен умением облекать мысли в слова. Здесь не было ни трубного зова, ни трескучего призыва к чувствам, лишь холодная логика, поддерживающая в море британский флот и вот уже семнадцать лет спасающая Англию в отчаянной борьбе за существование. По гробовому молчанию слушателей Хорнблауэр знал, что внимание их приковано к чтению. Сложив бумагу и подняв глаза, он увидел суровые, решительные лица. Юнга в первом ряду позабыл про слезы, вероятно, он только что твердо решил в дальнейшем неукоснительно исполнять свои обязанности. А может, размечтался о будущих подвигах, когда и он станет капитаном в мундире с золотым позументом, и тоже будет командовать семидесятичетырехпушечным кораблем.

Во внезапном приливе чувств Хорнблауэр гадал, защитят ли возвышенные чувства от летящего пушечного ядра — ему припомнился другой корабельный юнга, которого у него на глазах размазало в кровавое месиво ядром с «Нативидада».

VIII

В тот вечер Хорнблауэр расхаживал по шканцам. Предстояло решить сложнейшую задачу, и кормовая галерея не годилась — чтобы думать, надо было ходить быстро, так быстро, как не позволяла низкая балюстрада, где все время надо пригибаться. Офицеры, видя его состояние, отступили на подветренную сторону и освободили наветренную, почти тридцать ярдов шканцев и переходного мостика. Взад и вперед ходил он, взад и вперед, набираясь мужества осуществить то, чего страстно желал. «Сатерленд» медленно скользил по волнам, западный бриз дул с траверза, караван сгрудился всего в нескольких кабельтовых под ветром. Джерард со щелчком сложил подзорную трубу.

— От «Лорда Морнингтона» отвалила шлюпка, сэр. — Он торопился предупредить капитана, чтобы тот, если пожелает, успел затвориться в каюте. Впрочем, Джерард не хуже Хорнблауэра знал, что капитану не следует слишком явно пренебрегать важными господами, следующими на кораблях Досточтимой компании.

Хорнблауэр следил, как приближается похожая на жука шлюпка. Предыдущие десять дней сильный норд-ост не только подгонял конвой — сейчас они были уже на широте Северной Африки, отсюда индийцам предстоит добираться на свой страх и риск, — но и до вчерашнего дня не позволял обмениваться визитами. Вчера шлюпки так и сновали между индийцами, сегодня гостей предстоит принимать Хорнблауэру. Отказать он не может, тем более что через два часа расставаться, — испытание надолго не затянется.

Шлюпка подошла к борту, и Хорнблауэр пошел встречать гостей: капитана Осборна с «Лорда Морнингтона» в форменном кителе и высокого сухопарого незнакомца в цивильной одежде с лентой и звездой.

— Добрый вечер, капитан, — сказал Осборн. — Позвольте представить вас лорду Истлейку, назначенному губернатором в Бомбей.

Хорнблауэр поклонился, лорд Истлейк тоже.

— Я прибыл, — прочистив горло, начал лорд Истлейк, — дабы просить вас, капитан Хорнблауэр, принять для вашего корабля этот кошелек с четырьмя сотнями гиней. Пассажиры Ост-Индских судов собрали их по подписке в благодарность за мужество и сноровку, проявленные командой «Сатерленда» в стычке с двумя французскими каперами возле Уэссана.

— От имени моей команды благодарю вашу милость, — сказал Хорнблауэр.

Жест весьма любезный, и Хорнблауэр, принимая кошелек, чувствовал себя Иудой — он-то знал, какие планы вынашивает в отношении Ост-Индской компании.

— А я, — сказал Осборн, — должен передать вам и вашему первому лейтенанту самое сердечное приглашение отобедать с нами на «Лорде Морнингтоне».

На это Хорнблауэр с видимым огорчением покачал головой.

— Через два часа нам расставаться. Я как раз собирался поднять соответствующий сигнал. Глубоко сожалею, что вынужден отказаться.

— Мы на «Лорде Монингтоне» будем весьма опечалены, — сказал лорд Истлейк. — Из-за непогоды мы все десять дней были лишены вашего общества. Возможно, вы измените свое решение?

— Я впервые совершаю этот переход так быстро, — вставил Осборн. — И, кажется, должен сказать «увы», ибо именно из-за этого мы не сможем повидаться с флотскими офицерами.

— Я на королевской службе, милорд, и подчиняюсь строжайшим приказам адмирала.

Против такой отговорки будущий губернатор Бомбея возразить не сможет.

— Понимаю, — сказал лорд Истлейк. — Могу ли я, по крайней мере, познакомиться с вашими офицерами?

Опять весьма любезный жест. Хорнблауэр подозвал одного за другим: просоленного Буша, изящного красавца Джерарда, Морриса, капитана морской пехоты и двух его долговязых субалтернов, остальных лейтенантов и штурмана, вплоть до младшего мичмана. Все были польщены и взволнованы знакомством с лордом.

Наконец лорд Истлейк собрался уходить.

— Всего доброго, капитан, — сказал он, протягивая руку. — Желаю вам успешных действий в Средиземном море.

— Спасибо, милорд. Вам счастливо добраться до Бомбея! Успешного и славного губернаторства.

Хорнблауэр взвесил на руке кошелек — вышитый парусиновый мешочек, над которым кто-то изрядно потрудился в последние дни. Он ощущал тяжесть золота и хрустящие под пальцами банкноты. Ему хотелось бы счесть это призовыми деньгами и взять себе соответствующую долю, но он знал, что не может принять награду от штатских. Тем не менее команда пусть продемонстрирует должную благодарность.

— Мистер Буш, — сказал он, когда шлюпка отвалила. — Прикажите матросам выстроиться на реях. Пусть трижды крикнут «ура!»

Лорд Истлейк и Осборн в шлюпке на эти бурные изъявления благодарности приподняли шляпы.

Хорнблауэр наблюдал, как шлюпка ползет обратно к «Лорду Морнингтону». Четыреста гиней. Деньги большие, но его так просто не купишь. И в это самое мгновение он окончательно решился сделать то, о чем неотступно думал последние двадцать четыре часа. Он покажет Ост-Индскому каравану, что капитан Хорнблауэр независим в своих поступках.

— Мистер Рейнер, — сказал он, — изготовьте баркасы номер один и два. Положите руль на борт и подойдите к каравану. К тому времени, когда мы с ним поравняемся, шлюпки должны быть на воде. Мистер Буш. Мистер Джерард. Я попрошу вашего внимания.

Под свистки и суету маневра, под скрип сей-талей Хорнблауэр коротко отдал распоряжения. Осознав, что замыслил его капитан, Буш первый и последний раз в жизни осмелился возразить:

— Это толстопузые индийцы, сэр, — сказал он.

— Я и сам догадывался, что дело обстоит именно так, — съязвил Хорнблауэр.

Да, он рискует, забирая матросов с кораблей Ост-Индской компании — одновременно входит в конфликт с могущественнейшей из английских корпораций и преступает адмиралтейские инструкции. Но люди ему нужны, нужны позарез, а суда, с которых он их заберет, не увидят суши до самого острова Святой Елены. Пройдет три-четыре месяца, пока протест доберется до Англии, шесть — пока ответная кара настигнет Хорнблауэра в Средиземном море. За преступление полугодовой давности слишком сурово не накажут, а возможно, через полгода его и не будет в живых.

— Раздайте команде шлюпок пистолеты и абордажные сабли, — сказал он, — просто чтобы показать, что это им не шутки. Возьмете по двадцать человек с каждого корабля.

— По двадцать человек! — Буш от восхищения раскрыл рот. Это уже значительное нарушение закона.

— По двадцать с каждого. И попомните мои слова, только белых. Никаких ласкаров. И чтобы все были опытными моряками, умели брать рифы и держать штурвал. Разузнайте, кто там канониры, и заберите их. Джерард, вам пригодятся опытные артиллеристы?

— О да, клянусь Богом.

— Очень хорошо. Приступайте.

Хорнблауэр отвернулся. Он принял решение без посторонней помощи и не собирался обсуждать его теперь. «Сатерленд» двинулся к каравану. Сперва первый, затем второй баркас коснулись воды и устремились к скоплению кораблей.

«Сатерленд» отошел дальше под ветер и, положив грот-марсель на стеньгу, стал ждать.

В подзорную трубу Хорнблауэр различил блеск стали — это Джерард взял «Лорда Морнингтона» на абордаж и взбежал на палубу с оружием в руках, чтобы заранее отбить охоту защищаться. Хорнблауэра лихорадило от волнения, которое он лишь большим усилием скрывал. Он резко сложил подзорную трубу и заходил по палубе.

— От «Лорда Морнингтона» к нам отвалила шлюпка, сэр, — сообщил Рейнер. Он был взволнован не меньше капитана и отнюдь не пытался этого скрыть.

— Очень хорошо, — сказал Хорнблауэр с деланным безразличием.

Он немного успокоился. Если бы Осборн отказал Джерарду наотрез, призвал матросов к оружию и постарался отразить нападение, дело могло бы обернуться плачевно. Если бы в потасовке, вызванной незаконным требованием, кто-то погиб, трибунал мог расценить это как убийство. Впрочем, Хорнблауэр рассчитывал, что десант застигнет Осборна врасплох, и тот не окажет реального сопротивления. Так и вышло: Осборн посылает протест. Пусть себе возмущается на здоровье, хорошо бы еще остальные ост-индийцы последовали примеру коммодора и ограничились протестами, пока с них будут забирать матросов.

Через входной порт поднялся Осборн собственный персоной. Лицо у него было багровое.

— Капитан Хорнблауэр, — начал он с порога. — Это возмутительно! Я решительно протестую, сэр. В эту самую минуту ваш лейтенант выстраивает мою команду, намереваясь провести принудительную вербовку.

— Он действует в соответствие с моим приказом, сэр, — отвечал Хорнблауэр.

— Когда он это сказал, я с трудом поверил своим ушам. Знаете ли вы, сэр, что ваши действия противоречат закону? Это вопиющее нарушение адмиралтейских регуляций. Это грубый произвол, сэр. Суда Досточтимой Ост-Индской компании освобождены от принудительной вербовки, и я как коммодор буду до последнего издыхания протестовать против любого нарушения этого закона.

— Рад буду выслушать ваш протест, сэр, когда вы соблаговолите его изложить.

— Но... но... — Осборн захлебнулся. — Я его изложил. Я заявил свой протест, сэр.

— А, понятно, — сказал Хорнблауэр. — Я думал, это было предисловие к протесту.

— Ничего подобного, — дородный Осборн только что не топал в исступлении ногами. — Я заявил протест и не остановлюсь на этом. Я дойду до самых высоких инстанций. Я с края света вернусь, лишь бы свидетельствовать против вас на трибунале. Я не успокоюсь... я не остановлюсь ни перед чем... я употреблю все мое влияние, чтобы это преступление не осталось безнаказанным. Я сотру вас в порошок... я вас уничтожу...

— Но, капитан Осборн, — начал Хорнблауэр, меняя тон как раз вовремя, чтобы Осборн, уже собравшийся театрально удалиться, помедлил. Уголком глаза Хорнблауэр видел, что его шлюпки направляются к двум последним жертвам; очевидно, с остальных они уже забрали, кого возможно. Как только Хорнблауэр намекнул, что может и передумать, Осборн сменил гнев на милость.

— Если вы вернете людей, сэр, я с радостью возьму свои слова обратно, — сказал он. — Заверяю вас, никто и не узнает о случившемся.

— Не позволите ли мне хотя бы поспрашивать в вашей команде добровольцев? — взмолился Хорнблауэр. — Может быть, кто-нибудь пожелает перейти на королевскую службу?

— Ну... ладно, я соглашусь даже и на это. Быть может, в ком-то взыграет дух приключений.

Со стороны Осборна это был верх великодушия; впрочем, он справедливо полагал, что в эскадре не много найдется глупцов, желающих променять относительно покойную службу в Ост-Индской компании на суровую жизнь Королевского флота.

— Я так восхищен вашим беспримерным мастерством в стычке с каперами, сэр, что мне трудно вам в чем-либо отказать, — миролюбиво сказал Осборн.

Шлюпки уже подошли к последнему из индийцев.

— Очень любезно, с вашей стороны, сэр, — сказал Хорнблауэр с поклоном. — В таком случае позвольте проводить вас в вашу гичку. Я отзову мои шлюпки. Волонтеров мои офицеры брали в первую очередь, значит, надо полагать, все желающие в шлюпках. Остальных я верну. Спасибо, капитан Осборн. Спасибо.

Подождав, пока капитан Осборн спустится в шлюпку, Хорнблауэр вернулся на шканцы. Рейнер, изумленный внезапным поворотом в настроении капитана, смотрел на него во все глаза. Хорнблауэру это было приятно — скоро Рейнер удивится еще сильнее. Перегруженные баркасы шли к «Сатерленду». Они разминулись с гичкой Осборна, медленно ползущей в наветренную сторону. В подзорную трубу Хорнблауэр видел, как Осборн из гички машет рукой: очевидно, он что-то кричал проходящей мимо шлюпке. Буш и Джерард, разумеется, не обратили на него внимания. Через две минуты шлюпки подошли к борту, и сто двадцать человек, нагруженные скромными пожитками, высыпали на палубу. Их сопровождали тридцать матросов с «Сатерленда». Команда, широко ухмыляясь, приветствовала пополнение. Насильно завербованный британский моряк всегда радуется, видя новых товарищей по несчастью: так бесхвостая лиса из басни мечтала, чтобы и остальные лишились хвостов.

Буш и Джерард выбрали отличных моряков. Хорнблауэр разглядывал их лица. Одни выражали апатию, другие — растерянность, третьи — угрюмую злобу. Этих людей в считанные минуты вытащили с комфортабельного судна, где регулярно платят, хорошо кормят, а дисциплина не слишком строга, и завербовали на суровую королевскую службу, где жалованье под вопросом, кормежка скудна, и по единому слову нового капитана их могут выпороть кошками. Даже простой матрос с удовольствием предвкушает, как вступит на щедрую индийскую почву; теперь эти люди обречены два года сносить однообразие, нарушаемое только опасностями, болезнями и вражескими ядрами.

— Поднимите шлюпки, мистер Рейнер, — приказал Хорнблауэр.

Рейнер сморгнул — он слышал, что Хорнблауэр пообещал Осборну, и знал: из ста двадцати человек охотников остаться будет немного. Шлюпки придется тут же спускать снова. Но если каменное лицо Хорнблауэра что и выражало, так это твердую уверенность в отданном приказе.

— Есть, сэр, — сказал Рейнер.

Подошел Буш с листком бумаги — они с Джерардом только что подвели общий итог.

— Всего сто двадцать человек, как вы и приказывали, сэр, — сказал Буш. — Один купорский помощник — доброволец, сэр. Сто девять матросов — двое из них доброволь-

цы. Шестеро канониров. Четверо новичков — эти вызвались добровольно.

— Отлично, мистер Буш. Прочтите им приказ о зачислении. Мистер Рейнер, как только шлюпки будут подняты, обрасопьте паруса фордевинд. Мистер Винсент! Сигнальте каравану: «Все завербовались добровольно. Спасибо. Всего доброго». Слова «завербовались добровольно» вам придется передавать по буквам, но они того стоят.

Опьяненный успехом, Хорнблауэр забылся и произнес лишнюю фразу, однако за оправданиями дело не стало. У него сто двадцать новобранцев, почти все — опытные матросы, команда «Сатерленда» укомплектована почти целиком. Мало того, он оградил себя от грядущего гнева. Когда из Адмиралтейства придет неизбежное укоризненное письмо, он ответит, что позаимствовал матросов с ведома и разрешения коммодора. Если повезет, можно будет проволынить дело еще месяцев шесть. За год он убедит новобранцев, что они завербовались по собственному почину. Хотя бы часть их, пообвыкнув, полюбит новую жизнь и поклянется в чем угодно; многие уже и помнить не будут, что произошло. Адмиралтейство склонно глядеть на незаконную вербовку сквозь пальцы — теперь будет лазейка, чтобы не наказывать его слишком строго.

— «Лорд Морнингтон» отвечает, сэр, — сказал Винсент. — «Не понял сигнала. Ждите шлюпку».

— Сигнальте «Всего доброго» еще раз, — распорядился Хорнблауэр.

На главной палубе Буш еще читал новобранцам «Свод законов военного времени» — как только он покончит с этой необходимой формальностью, они превратятся в королевских слуг: с этой минуты их можно вешать и наказывать кошками.

IX

До места встречи у мыса Паламос «Сатерленд» добрался первым, так что ни флагмана, ни «Калигулы» не обнаружил. Корабль под малыми парусами неторопливо лавировал против слабого юго-восточного ветра, и Джерард, пользуясь временной передышкой, натаскивал матросов в стрельбе. Буш вдосталь погонял команду на реях, теперь пришло время повозиться с большими пушками. Под обжигающим полуденным солнцем голые по пояс матросы обливались потом, выдвигая и задвигая пушки, разворачивая их правилами. Каждый по очереди орудовал гибким прибойником — все эти движения надо было довести до автоматизма, чтобы потом выдвигать, палить, банить и перезаряжать час за часом в густом пороховом дыму, среди смерти и разрушения. Скорость в первую очередь и лишь потом меткость, однако полезно время от времени и пострелять в цель — это некоторым образом вознаграждает матросов за утомительный труд.

В тысяче ярдов по левому борту подпрыгивала на волне шлюпка. Послышался всплеск, и на воде заплясало черное пятнышко — со шлюпки сбросили бочонок и тут же принялись грести подальше от линии огня.

— Пушка номер один! — заорал Джерард. — Цельсь! Взвести затворы! Пли! Запальные отверстия закрыть!

Громыхнула ближайшая к носу восемнадцатифунтовка. Десяток подзорных труб следил за ядром.

— Перелет и далеко вправо, — объявил Джерард. — Пушка номер два!

По очереди выпалили восемнадцатифунтовки главной палубы, затем двадцатичетырехфунтовки нижней. Даже опытные канониры тридцатью семью выстрелами с

такого расстояния вряд ли поразили бы бочонок; он, целехонький, приплясывал на волнах. Пушки левого борта выстрелили еще по разу — бочонок был по-прежнему невредим.

— Уменьшим расстояние. Мистер Буш, положите руль на борт и подведите корабль на кабельтов к бочонку. Ну, мистер Джерард!

С двухсот ярдов бочонок могут достать и каронады; пока «Сатерленд» подходил к нему, их расчеты встали к своим орудиям. Пушки выпалили почти одновременно, корабль содрогнулся до основания, густой дым окутал полуголых людей. Вода кипела, разорванная тонной железных ядер. Вдруг бочонок выпрыгнул из пенной воды и рассыпался на составные планки. Орудийная прислуга закричала «ура!».

Хорнблауэр дунул в серебряный свисток, чтобы больше не стреляли. Сияющие матросы хлопали друг друга по плечам. Радость увидеть, как разлетается в щепки бочонок, по их мнению, сполна вознаграждала за два часа изнурительных учений.

Со шлюпки сбросили еще бочонок, батарея правого борта приготовилась стрелять. Хорнблауэр, стоя на шканцах, блаженно щурился в ярком солнечном свете. Жизнь прекрасна. У него полностью укомплектованная команда, а умелых марсовых — больше, чем он смел надеяться. Пока все здоровы, новички быстро осваиваются с парусами, с пушками освоятся еще быстрее. Сухое летнее тепло действовало на него благотворно. Радуясь, как быстро сплачивается его команда, он позабыл тревожиться о леди Барбаре. Жизнь была прекрасна.

— Отличный выстрел! — сказал он. Одна из пушек нижней палубы удачным попаданием разнесла второй бочонок в щепки. — Мистер Буш! Проследите, чтобы сегодня вечером этому расчету выдали по чарке.

— Есть, сэр.

— Вижу парус! — донеслось с мачты. — Эй, на палубе! Парус прямо на ветре, быстро приближается.

— Мистер Буш, отзовите шлюпку. Положите корабль на правый галс, пожалуйста.

— Есть, сэр.

Даже здесь, в каких-то пятидесяти милях от Франции, в двадцати от подвластной французам Испании, корабль, тем более идущий таким курсом, вряд ли окажется французским — в противном случае он бы полз вдоль берега, не отваживаясь выйти в море и на милю.

— Эй, на мачте! Что нового?

— Корабль, сэр, под всеми парусами. Вижу бом-брамсели и брам-лисели.

— Отставить! — закричал боцман поднимавшим шлюпку матросам.

Корабль с полным парусным вооружением — не люгер, не бриг и не тартана — никак не может оказаться французским. Вероятно, это «Калигула» или «Плутон». Через минуту догадка подтвердилась.

— Эй, на палубе! Похоже на «Калигулу», сэр. Вижу его марсели.

Значит, это Болтон, проводивший грузовые суда в Маон. Через час «Калигула» подойдет на выстрел.

— «Калигула» сигналит, — сказал Винсент. — «Капитан — капитану. Рад встрече. Не отобедаете ли со мной?»

— Поднимите утвердительный, — сказал Хорнблауэр.

Дико взвыли боцманские дудки, приветствуя Хорнблауэра на борту, фалрепные замерли по стойке «смирно», морские пехотинцы взяли накараул; Болтон шел на-

встречу с протянутой для рукопожатия рукой и улыбался во весь рот.

— Первым поспели! — сказал Болтон. — Сюда, сэр. Страшно рад вас видеть. У меня двенадцать дюжин хереса. Испробуете? Вестовой, бокалы где? Ваше здоровье, сэр!

Капитан Болтон обставил каюту не чета Хорнблауэру. На рундуках атласные подушки, с палубных бимсов свешиваются серебряные лампы, на белой полотняной скатерти тоже сверкает серебро. Болтон удачлив — командуя фрегатом, он за одну только кампанию получил пять тысяч фунтов призовых денег. А ведь Болтон начинал простым матросом. Хорнблауэр позавидовал было и тут же успокоился — он заметил дурной вкус хозяина и вспомнил вульгарную миссис Болтон. Мало того — Болтон явно ему обрадовался и говорил с неподдельным уважением. Все это прибавляло Хорнблауэру уверенности.

— Быстро вы шли, коли оказались здесь раньше нашего, — заметил Болтон.

Они заговорили о ветрах и течениях, да так увлеченно, что даже обед не заставил их переменить тему.

Кто бы объяснил Болтону, какой обед стоит подавать в палящий средиземноморский зной? Принесли гороховый суп, очень вкусный и очень густой. За ним последовала копченая кефаль, купленная в Маоне перед самым отплытием. Седло барашка. Стилтонский сыр, уже изрядно пересохший. Приторно-сладкий портвейн. Ни салата, ни фруктов не приобрел Болтон на зеленой Менорке.

— Баранина, увы, из Маона, — говорил Болтон, орудуя ножом. — Последняя английская овца скончалась от неведомой болезни у Гибралтара и пошла кают-компании на обед. Положить вам еще, сэр?

— Спасибо, нет, — сказал Хорнблауэр. Он мужественно одолел щедрую порцию и теперь, объевшись бараньим жиром, исходил потом в душной каюте. Болтон придвинул ему бутылку, и Хорнблауэр плеснул несколько капель в наполовину пустой бокал. Он давно научился делать вид, будто пьет наравне с хозяином, выпивая на самом деле в три раза меньше. Болтон осушил бокал и снова налил.

— А теперь, — сказал Болтон, — мы должны в праздности дожидаться сэра *Mucho Pomposo,* контр-адмирала Красного Флага.

Хорнблауэр изумленно поднял на Болтона глаза. Сам он никогда не осмелился бы отозваться о вышестоящем офицере как о *Mucho Pomposo,* что по-испански означает крайнюю степень чванства. Мало того, ему и в голову не приходило так думать о Лейтоне. Он не стал бы критиковать начальника, в чьих способностях не имел случая убедиться, а мужа леди Барбары — тем более.

— *Mucho Pomposo,* — повторил Болтон. Он уже слегка перепил и снова подливал себе портвейна. — Он тащится на своей старой посудине из Лиссабона, а мы тут просиживай себе штаны. Ветер юго-восточный. И вчера был такой же. Если он третьего дня не прошел через пролив, раньше чем через неделю мы его не дождемся. А если он не перепоручил управление Эллиоту, то не дождемся вообще.

Хорнблауэр озабоченно глянул на световой люк. Если до начальственных ушей дойдет отголосок их разговора, Болтону несдобровать. Тот понял, о чем Хорнблауэр подумал.

— Бояться нечего, — поспешил успокоить Болтон. — Мои офицеры не проболтаются. Что им адмирал, который меньше моего смыслит в навигации! Ну, какие будут соображения, сэр?

Хорнблауэр предположил, что один из кораблей мог бы отправиться на север, к побережью Испании и Франции, пока другой останется ждать адмирала.

— Мысль стоящая, — сказал Болтон.

Хорнблауэр стряхнул навалившуюся после обильной трапезы апатию. Только бы отправили его! Мысль, что, возможно, скоро он начнет действовать, бодрила. Пульс участился — чем дольше он думал о своей идее, тем сильнее желал, чтобы выбор пал на него. Перспектива день за днем лавировать у мыса Паламос отнюдь его не прельщала. Конечно, если надо будет, он стерпит — двадцать лет на флоте приучили его ждать, — но как же не хочется терпеть!

— И кто это будет? — спросил Болтон. — Вы или я?

Хорнблауэр взял себя в руки.

— Вы — старший офицер на позиции, — сказал он. — Решать вам.

— Да, — задумчиво произнес Болтон. — Да.

Он оценивающе взглянул на Хорнблауэра.

— Вы отдали бы три пальца, чтобы отправиться самому, — сказал он вдруг. — И вы это знаете. Вам все так же неймется, как бывалоча на «Неустанном». Помнится, сек я вас за это — то ли в девяносто третьем, то ли в девяносто четвертом.

Хорнблауэр вспыхнул. Из памяти его и по сю пору не изгладилась унизительная экзекуция, когда лейтенант Болтон выпорол его, мичмана, перегнув через пушку. Но он проглотил обиду: не хотелось ссориться с Болтоном, особенно сейчас. Да и Болтон, в отличие от Хорнблауэра, не считал порку оскорблением.

— В девяносто третьем, сэр, — сказал Хорнблауэр. — Я только что поступил на корабль.

— А теперь вы капитан, один из самых заметных в нижней половине списка, — заметил Болтон. — Господи, как время-то летит... Я бы отпустил вас, Хорнблауэр, в память о прошлом, если бы мне самому не хотелось так же сильно.

— Ох, — сказал Хорнблауэр. От разочарования лицо его так комично вытянулось, что Болтон невольно рассмеялся.

— Поступим по-честному, — сказал он. — Бросим монетку. Идет?

— Да, сэр, — с жаром отозвался Хорнблауэр.

Лучше равные шансы, чем никаких.

— И вы не обидитесь, если выиграю я?

— Нет, сэр. Ничуть.

Медленно-медленно Болтон полез в карман и вытащил кошелек. Вынул гинею, положил на стол — Хорнблауэр ерзал на стуле от нетерпения — и так же неспешно убрал кошелек в карман. Поднял гинею, положил на узловатые большой и указательный пальцы.

— Орел или решка? — спросил он, глядя на Хорнблауэра.

— Решка, — сказал Хорнблауэр, сглотнув.

Монета подпрыгнула в воздух, Болтон поймал ее и звонко шлепнул об стол.

— Решка, — объявил он, поднимая руку. Вновь Болтон полез за кошельком, убрал монету, убрал кошелек в карман. Хорнблауэр наблюдал за его движениями, принуждая себя сидеть спокойно. Теперь, когда он знал, что скоро начнет действовать, это было уже не так трудно.

— Черт возьми, Хорнблауэр, — сказал Болтон, — а я рад, что выиграли вы. Сможете болтать с даго по-ихнему, чего о себе сказать никак не могу. Все складывается, как нарочно для вас. Не задерживайтесь больше чем на три дня.

Я все изложу письменно, честь по чести, на случай если их всемогущество изволят прибыть раньше. Хотя верится в это слабо. Удачи, Хорнблауэр. Подливайте себе еще.

Хорнблауэр наполнил бокал на две трети — если оставить на дне, он выпьет всего на полбокала больше, чем желал бы. Отхлебнул, откинулся на стуле, сдерживая нетерпение. И все же оно взяло верх. Хорнблауэр встал.

— Лопни моя селезенка! Вы что, уже уходите? — изумился Болтон. Он не верил своим глазам, хотя поведение Хорнблауэра было совершенно недвусмысленным.

— Если вы позволите, сэр, — сказал Хорнблауэр, — ветер попутный...

Он начал, запинаясь, выкладывать доводы. Ветер может перемениться: если отбывать, то лучше сразу, чтобы быстрее вернуться. Если «Сатерленд» доберется до берега в темноте, то, возможно, на рассвете захватит приз. Он излагал все мотивы, кроме одного — не может он сидеть спокойно, когда перед ним уже забрезжила перспектива действовать.

— Ладно, будь по-вашему, — проворчал Болтон. — Надо так надо. Вы бросаете меня с недопитой бутылкой. Должен ли я из этого заключить, что вам не понравился мой портвейн?

— Ни в коем разе, сэр, — поспешно отвечал Хорнблауэр.

— Тогда еще бокал, пока зовут ваших гребцов. Гичку капитана Хорнблауэра к спуску.

Последняя фраза было произнесена во весь голос и адресовалась закрытой двери, часовой тут же подхватил, и приказ побежал дальше по цепочке.

Боцманские дудки гудели, провожая Хорнблауэра с «Калигулы», офицеры стояли по стойке «смирно», фалрепные замерли в строю. Гичка на веслах летела по серебристой вечерней воде, рулевой Браун искоса поглядывал на капитана, пытаясь угадать, к чему этот поспешный отъезд. Тревожились и на «Сатерленде». Буш, Джерард, Кристел и Рейнер ждали Хорнблауэра на шканцах. Буша, надо думать, подняли с постели известием, что капитан возвращается.

Хорнблауэр оставил без внимания вопрошающие взгляды — он давно взял за правило ничего никому не объяснять. Разбуженное любопытство подчиненных приятно щекотало его гордость. Гичка еще качалась на талях, когда он уже распорядился обрасопить паруса фордевинд и развернуть корабль к испанскому побережью — к неведомым приключениям.

— «Калигула» сигналит, сэр, — доложил Винсент. — «Удачи».

— Подтвердите, — сказал Хорнблауэр.

Офицеры на шканцах переглянулись, гадая, с чего бы это коммодор пожелал им удачи? Хорнблауэр делал вид, будто не замечает этого обмена взглядами.

— Кхе-хм, — сказал он и с достоинством двинулся вниз — штудировать карты и продумывать кампанию. Древесина поскрипывала, легкий ветер нес корабль по безмятежно-гладкому морю.

X

— Две склянки, сэр, — доложил Полвил, пробуждая Хорнблауэра от сладостных грез. — Ветер зюйд-тень-ост, курс норд-тень-ост, поставлены все паруса до бом-брамселей, сэр. Мистер Джерард сообщает, на левом траверзе видать землю.

При этих словах Хорнблауэр, не раздумывая, вскочил, стянул через голову рубашку и быстро оделся. Небритый и нечесаный, заспешил на шканцы. Было совсем светло, солнце наполовину выглянуло из-за горизонта на левом траверзе и озарило серые громады гор. То был мыс Креус, где отроги Пиренейских гор вдаются в Средиземное море, образуя восточную оконечность Испании.

— Вижу парус! — заорал впередсмотрящий. — Почти прямо по курсу. Бриг, сэр, идет от берега правым галсом.

Этого Хорнблауэр ждал, и курс задал, чтобы оказаться в этом самом месте в это самое время. Все каталонское побережье до Барселоны на юге и даже дальше захвачено французами. Французская армия — «Очерки современной войны в Испании», оценивая ее численность, сообщали примерно о восьмидесяти тысячах — намерена продвигаться дальше на юг и в глубь континента.

Но ей предстоит воевать не только с испанской армией, но и с испанскими дорогами. Наладить снабжение восьмидесятитысячного войска и большого гражданского населения через пиренейские перевалы невозможно, хотя непокорная Жерона и взята в прошлом декабре после долгой осады. Провиант, осадные материалы, боеприпасы везут морем небольшие каботажные суда — от одной береговой батареи до другой, через лагуны и мелководья от Лионского залива, мимо скалистых испанских мысов, до самой Барселоны.

С тех пор как отозвали Кокрейна, британцы их практически не трогали. Добравшись до мыса Паламос, Хорнблауэр поспешил укрыться за горизонтом, чтобы его не заметили с берега. Он надеялся, что за последнее время французы утратили бдительность. Ветер восточный, мыс Креус протянулся почти точно с запада на восток. Смело можно было ждать, что на заре здесь появится какое-нибудь грузовое судно. Чтобы обогнуть мыс, оно вынуждено будет отойти подальше от берега, оторваться от защиты береговых батарей, причем сделает это ранним утром — кто по своей воле отправится в опасный путь ночью? Расчет полностью оправдался.

— Поднимите флаг, мистер Джерард, — сказал Хорнблауэр. — Свистать всех наверх.

— Бриг повернул! — крикнул впередсмотрящий. — Идет на фордевинд.

— Правьте, чтобы отрезать его от берега, мистер Джерард. Поставьте стаксели.

С легким попутным ветром «Сатерленд» идет лучше всего, что естественно при его неглубокой осадке. В этих идеальных условиях он без труда нагонит тяжело нагруженный каботажный бриг.

— Эй, на палубе! — крикнул впередсмотрящий. — Бриг снова привелся к ветру. Он на прежнем курсе.

Очень странно. Линейный корабль может напрашиваться на поединок, но простой бриг, даже военный, должен устремиться под защиту береговых батарей. Может быть, это английский бриг.

— Сэвидж! Берите подзорную трубу. Скажете мне, что видите.

Сэвидж мигом вскарабкался по грот-вантам.

— Так и есть, сэр. Идет в бейдевинд на правом галсе. Мы пройдем у него сподветру. Несет французский государственный флаг. Бриг сигналит, сэр. Не могу прочесть флажки, сэр, ветер точно в его сторону.

Что за черт? Оставшись с наветренной стороны, бриг подписал себе смертный приговор; если б он повернул к берегу в ту же секунду, как с него заметили «Сатерленд»,

у французов оставался бы шанс спастись. Теперь это верный трофей — но зачем французский бриг сигналит британскому военному кораблю? Хорнблауэр вскочил на поручень — отсюда он видел на горизонте топсели брига. Тот по-прежнему шел круто к ветру.

— Могу прочесть сигнал, сэр. «МВ».

— Что это, черт возьми, за МВ? — спросил Хорнблауэр Винсента и тут же пожалел о сказанном. Хватило бы и взгляда.

— Не знаю, сэр, — ответил Винсент, перелистывая сигнальную книгу. — Такого кода нет.

— Узнаем скоро, — сказал Буш. — Мы живо его нагоним. Эге! Да он снова поворачивает. Увалился под ветер. Поздно, мусью. Попался. Это наши призовые денежки, ребята.

Возбужденный говорок на шканцах достигал ушей Хорнблауэра, не проникая в мозг. Теперь, когда француз обратился-таки в бегство, все встало на свои места. Буш, Джерард, Винсент и Кристел, увлеченные мыслями о призовых деньгах, и не пытались разобраться, что же произошло. А произошло следующее. Завидев «Сатерленд», бриг бросился наутек. Потом с него увидели красный военноморской флаг и приняли за французский триколор. Такие ошибки и прежде случалось делать обеим воюющим сторонам — и в том, и в другом флаге заметнее всего красный цвет.

Удачно, что Лейтон — адмирал Красного флага, и «Сатерленд» несет его цвета. Удачно, что голландские корабелы закруглили «Сатерленду» нос, как почти у всех французских линейных кораблей и лишь у немногих английских. С брига приняли «Сатерленд» за французское судно и поспешили продолжить путь. Значит, «МВ» —

французский опознавательный сигнал. Это стоит запомнить. Только когда «Сатерленд» не ответил, как положено, французский капитан осознал и попытался исправить ошибку. Но поздно — «Сатерленд» отрезал ему путь. Между кораблями было каких-то две мили, и расстояние это быстро уменьшалось. Бриг вновь повернул — теперь он шел круто к ветру на другом галсе. Все тщетно — «Сатерленд» быстро его настигал.

— Выстрелите поперек курса, — приказал Хорнблауэр.

После такого предупреждения французский капитан сдался. Бриг лег в дрейф, трехцветный флаг медленно пополз вниз. На главной палубе «Сатерленда» победно завопили.

— Молчать! — рявкнул Хорнблауэр. — Мистер Буш, берите шлюпку и высаживайтесь на бриг. Мистер Кларк, поручаю вам командовать призом. Возьмите шесть матросов. Отведете его в Маон.

Буш, когда вернулся, так и сиял.

— Бриг «Амелия», сэр. Шесть дней как из Марселя. Направляется в Барселону с припасами для армии. Двадцать пять тонн пороха. Сто двадцать пять тонн сухарей. Говядина и свинина в бочках. Коньяк. Адмиралтейский представитель в Маоне, как пить дать, купит судно со всеми припасами. — Буш потер руки. — А мы — единственный корабль в пределах видимости!

Окажись рядом другой британский корабль, пришлось бы делить призовые деньги. Теперь же свою долю получат только адмиралы — командующий Средиземноморским флотом и Лейтон как командир эскадры. Им достанется одна треть, Хорнблауэру примерно две девятых — по меньшей мере несколько сот фунтов.

— Разверните корабль по ветру, — сказал он. Любой ценой надо не показать подчиненными, как обрадовали его эти несколько сот фунтов. — Нельзя терять время.

Он ушел вниз побриться. Соскребая со щеки пену и с неудовольствием разглядывая унылое лицо в зеркале, он в который раз думал о превосходстве моря над сушей. «Амелия», ничтожно малая по размеру, тем не менее перевозит двести-триста тонн груза — попытайся французы отправить его в Барселону сушей, пришлось бы собирать целый караван: более ста фургонов, сотни лошадей. Все это растянулось бы более чем на милю. Тысячные войска, чтобы обороняться от партизан. Лошадей и солдат надо кормить, значит, еще и еще фургоны. По испанским дорогам караван полз бы со скоростью миль этак по пятнадцать в день. Неудивительно, что французы предпочитают посылать припасы морем, невзирая на риск. Серьезным ударом для них будет обнаружить с фланга британскую эскадру, перерезавшую главный их путь снабжения.

Пока Хорнблауэр в сопровождении Полвила шел на бак, чтобы искупаться под помпой, его осенила новая мысль.

— Позовите парусного мастера, — приказал он.

Парусный мастер Поттер подошел и замер по стойке «смирно», пока Хорнблауэр поворачивался в струе морской воды.

— Мне нужен французский государственный флаг, Поттер, — сказал Хорнблауэр. — У нас на борту такого нет?

— Французского государственного флага, сэр? Нет, сэр.

— Тогда сшейте. Даю вам двадцать минут.

Хорнблауэр продолжал поворачиваться под струей, радуясь прикосновению освежающей влаги в нагретом утреннем воздухе. Весьма вероятно, что с мыса Креус не видели, как он захватил «Амелию», с других точек и подавно видеть не могли. Даже если кто-то и видел, пройдет много часов, прежде чем весть о британском линейном корабле облетит побережье. Один раз удалось захватить французов врасплох — теперь надо выжать из ситуации все возможное, не пренебрегая ничем, что могло бы сделать удар более ощутимым. Хорнблауэр вернулся в каюту, надел чистое белье, при этом не переставая прокручивать в голове планы — расплывчатые вчера, они теперь вырисовывались все четче.

— Завтрак, сэр? — осторожно осведомился Полвил.

— Принесите на шканцы кофе, — бросил Хорнблауэр. Есть не хотелось то ли от волнения, то ли после вчерашних гастрономических излишеств.

Со шканцев можно было различить мглистые голубые силуэты на горизонте — вершины Пиренеев. Между ними и морем идет дорога из Франции в Испанию. Помощник парусного мастера подбежал с большим свертком в руках.

— Мистер Винсент, — распорядился Хорнблауэр. — Поднимите этот флаг вместо нашего.

Офицеры на шканцах переводили взгляды с ползущего по флагштоку триколора на капитана и перешептывались — так близко от него, всего лишь у противоположного борта, они не решались говорить в полный голос. И волнение их, и приглушенный шепот Хорнблауэр рассматривал как свою победу.

— Сразу после завтрака пошлите матросов по местам, — сказал он. — Подготовьте корабль к бою, но порты пока не открывайте. Изготовьте к спуску баркасы номер один и номер два.

Матросы, галдя, доедали завтрак. Приказ готовить корабль к бою, триколор на флагштоке, испанские горы впереди утренний успех — они были возбуждены до предела.

— Молчать на главной палубе! — заорал Хорнблауэр. — Можно подумать, это не корабль, а сумасшедший дом!

Гвалт утих, матросы присмирели, как дети в присутствии строгого отца. Переборки убрали, угли из камбуза выбросили за борт. Юнги бежали с порохом для орудий, сетки рядом с пушками наполнили черными чугунными шарами.

— Корабль к бою готов, сэр, — доложил Буш.

— Кхе-хм, — произнес Хорнблауэр. — Капитан Моррис, если я спущу баркасы, в каждом должно быть по двадцать морских пехотинцев. Велите своим людям приготовиться.

В подзорную трубу Хорнблауэр оглядел береговую полосу — она быстро приближалась. У подножия крутых обрывов, у самой кромки воды, вилась дорога — берег здесь, согласно карте, приглубый. Однако нелишне бросить лот. Он рискует, приближаясь к подветренному берегу, охраняемому тяжелыми батареями — если они откроют огонь, то серьезно повредят «Сатерленд» еще до того, как он успеет отойти в море. Впрочем, Хорнблауэр рассчитывал не только на фальшивый флаг. Французы скорее всего не поверят, что англичане отважились на такой риск.

Появление французского линейного корабля они както для себя объяснят — то ли он идет из Тулона, то ли из Атлантики, а может — спасается с недавно захваченных британцами Ионических островков и после долгих странствий нуждается во временном убежище. Вряд ли они откроют огонь сразу, не подождав объяснений.

Хорнблауэр приказал править на север, на расстоянии примерно выстрела от берега. Легкий бриз дул с траверза.

Солнце пекло, матросы молча стояли на боевых постах, офицеры толпились на шканцах. Хорнблауэр, истекая потом, разглядывал берег в поисках подходящей жертвы. Такелаж еле слышно шелестел, перестук блоков казался в наступившей тишине неестественно громким, необычно громко звучали и монотонные крики лотового. Вдруг Сэвидж с фор-салинга заорал:

— Много мелких судов на якоре за мысом, сэр! Я их только что увидел, сэр!

Темное пятнышко плясало в объективе подзорной трубы. Хорнблауэр опустил трубу, давая отдохнуть глазу, потом снова поднял. Пятнышко было на месте — это лениво хлопал на ветру трехцветный французский флаг. Хорнблауэр высмотрел что хотел — неприятельскую батарею на вершине обрыва. Сорокадвухфунтовки, надо полагать, установлены с умом и скорее всего снабжены печами для разогрева ядер — ни одному кораблю против них не устоять. Под обрывом сгрудилась небольшая каботажная флотилия, поспешившая укрыться при виде незнакомого корабля.

— Велите вашим людям лечь, — приказал Хорнблауэр Моррису. Красные мундиры пехотинцев выдали бы национальную принадлежность «Сатерленда».

Корабль продвигался вперед, серые обрывы вырисовывались все отчетливее. Всякий раз, стоило отвлечься от батареи, Хорнблауэр внезапно видел за обрывами горные пики. Теперь он уже различал в подзорную трубу парапеты и чуть ли не сами пушки. В любую минуту батарея может разразиться грохотом, пламенем и дымом — тогда он принужден будет позорно бежать. Сейчас пушки уже могли бы достать до «Сатерленда». Быть может, французы разгадали хитрость и ждут, когда он подойдет поближе? В таком случае минутой дольше идти вперед — значит минутой дольше отступать под огнем. Если упадет мачта, «Сатерленд» обречен.

— Мистер Винсент, — сказал Хорнблауэр, не спуская глаз с батареи. — Поднимите «МВ».

При этих словах офицеры зашевелились. Они поняли, что задумал Хорнблауэр. Ложный сигнал увеличивает риск разоблачения, с другой стороны, в случае успеха, дает им больше времени, чтобы подойти к батарее. Если «МВ» — французский опознавательный сигнал, и они поднимут его правильно, — что ж, хорошо и замечательно. Если нет — батарея не замедлит известить. У Хорнблауэра бешено колотилось сердце. Он решил, что, сигналя, в любом случае собьет французов с толку и те помедлят открывать огонь. Флажки побежали по фалам, батарея молчала. Теперь цепочка флажков распустилась на флагштоке батареи.

— Не могу прочесть, сэр, — сказал Винсент. — Тут один с раздвоенным хвостом, у нас таких нет.

Раз французы сигналят, они, по крайней мере, сомневаются в национальной принадлежности «Сатерленда» — если только не заманивают его ближе. Однако если батарея промедлит еще немного, ей поздно будет открывать огонь.

— Мистер Буш, видите батарею?

— Да, сэр.

— Вы возьмете баркас номер один, мистер Рейнер — номер два. Высадитесь и захватите ее.

— Есть, сэр.

— Я прикажу, когда спускать шлюпки.

— Есть, сэр.

— Четверть до восьми! — крикнул лотовый.

Хорнблауэр машинально отмечал про себя результаты каждого замера. Теперь, когда начало мелеть, надо будет прислушиваться к возгласам лотового, продолжая внимательно разглядывать батарею. До нее оставалось четверть мили. Пора.

— Очень хорошо, мистер Буш. Приступайте.

— Есть, сэр.

— Обстените грот-марсель, мистер Джерард.

При этих словах спящий корабль очнулся, засвистели дудки, матросы побежали к шлюпочным талям. Сейчас должна оправдать себя утомительная муштра: чем быстрее шлюпки опустятся на воду, тем меньше риск и больше вероятность успеха. Баркасы коснулись воды.

— Сбросьте пушки с обрыва, мистер Буш. Если сможете, уничтожьте батарею. Но не задерживайтесь.

— Есть, сэр.

Шлюпки отвалили, матросы гребли, как сумасшедшие.

— Руль под ветер! Мистер Джерард, положите корабль на другой галс! Да, и спустите этот флаг, поднимите наш. Ага!

Пушечное ядро разорвало воздух над головой. Корабль содрогнулся от могучего удара. Над батареей поднимался дым — она наконец-то открыла огонь. «Слава богу, — думал Хорнблауэр, — что она стреляет по кораблю — хорош бы он был, если бы ядро угодило в шлюпку». Он так обрадовался, что не подумал об опасности для себя лично.

— Мистер Джерард, посмотрите, не достанут ли наши пушки до батареи. Прикажите стрелять по амбразурам да проследите, чтобы целили хорошенько.

Еще залп с батареи, опять перелет, ядра просвистели над головой.

Малыш Лонгли, торжественно вышагивавший по шканцам с кортиком на боку, пригнулся было, потом искоса глянул на капитана и пошел дальше прямой, как шомпол. Хорнблауэр улыбнулся.

— Мистер Лонгли, прикажите немедленно сплеснить грот-стеньги-фал.

Пусть мальчик займется делом — ему будет не так страшно. Пушки правого борта нестройно начали стрелять — каждый канонир поджигал, когда ему казалась, что его пушка наведена. С обрыва посыпались камушки — большая часть ядер попала футов на тридцать ниже батареи. Но даже если ядро-другое угодит в амбразуру и убьет кого-нибудь из орудийной прислуги, это будет хорошо — помешает артиллеристам сосредоточиться. Еще залп. На сей раз стреляют по шлюпкам. Первый баркас почти исчез во вспененной навесным огнем воде, у Хорнблауэра перехватило дыхание. В следующий миг баркас появился — он неуклюже двигался боком, видимо, ядром разбило весла по одному борту. Но шлюпки были уже в безопасности — так близко к обрыву пушки их не достанут. Второй баркас вошел в прибойную полосу, первый нагонял. Матросы прыгали в воду и карабкались на берег.

На какое-то мгновение Хорнблауэру захотелось вопреки приличиям самому оказаться там и возглавить штурм — он испугался, что неорганизованная атака сведет на нет достигнутые преимущества. И тут же понял, что испугался зря — Буш не подведет. В подзорную трубу было видно, как тот выскочил на дорогу и обернулся к своему отряду. Вот он размахивает руками, отдавая приказы. Кто-то повел взвод матросов вправо — это Рейнер. Хорнблауэр, напрягая глаза, различал лысую голову и ссутуленную спину — ни с кем не спутаешь. Моррис вел красный прямоугольник морских пехотинцев влево. Остальных Буш построил посредине — Буш не теряет головы. На обрыве были три промоины, отмеченные редкой зеленью — по ним взбираться легче всего. Как только фланговые отряды добежали до крайних промоин, Буш повел своих людей вверх — Хорнблауэр видел, как блеснула его шпага. Теперь все три отряда лезли по склону. До корабля донесся слабый боевой клич.

Одна-две пушки стреляли теперь получше. Дважды Хорнблауэру казалось, что земля сыплется из пораженной амбразуры. Это хорошо, но пора прекращать огонь, атакующие уже на склоне. Он дунул в свисток и велел прекратить огонь. Притихший корабль скользил по воде, все неотрывно следили за десантом — тот взбирался уже на вершину обрыва. Батарея вновь окуталась дымом, стреляли скорее всего картечью. От тех, кого застигнет железный шквал, останется мокрое место. На парапете поблескивали сабли, маленькие, с булавочную головку, дымки, означали, что стреляют из ручного оружия. С левой стороны красные мундиры пехотинцев были уже на парапете, в середине размахивал руками одетый в белое матрос. Все прыгали на другую сторону, хотя и на парапете оставались неподвижные красные и белые пятна — убитые. Какую-то минуту ничего не было видно — она показалась часом. Потом трехцветный флаг медленно пополз с флагштока, матросы на главной палубе разразились радостными криками. Хорнблауэр со стуком сложил подзорную трубу.

— Мистер Джерард, поверните оверштаг. Пошлите дежурные шлюпки за этими судами.

В бухточке под батареей сгрудились четыре тартаны, фелука и два суденышка с оснасткой тендера — неплохой улов, особенно если они нагружены. Маленькие шлюпки

отвалили от корабликов и гребли к берегу — команда спасалась от плена. Оно и к лучшему — пленные были бы обузой. Хорнблауэр и сам два года протомился в плену — он знал, что это такое.

Что-то скатилось с обрыва, увлекая за собой лавину камней, и грохнулось на дорогу в облаке пыли. То была сорокадвухфунтовая пушка, ее вручную перебросили через парапет. Бушу придется поторапливаться — если Буш жив. Через некоторое время скатилась еще пушка, потом еще.

Пленные суденышки — два буксировали за кормой дежурные шлюпки — лавировали к лежащему в дрейфе «Сатерленду»; наземный десант спускался с обрыва и выстраивался внизу. Кое-кто отстал — это несут раненых. Казалось, развязка не наступит никогда. Громоподобный раскат, облако пыли и дыма над батареей — на мгновение обрыв преобразился в вулкан наподобие тех, у подножия которых «Лидия» бросала якорь в прошлом походе. Взорвали пороховой погреб.

Наконец оба баркаса отвалили от берега, и Хорнблауэр, направив подзорную трубу, различил Буша — живого и, по-видимому, здорового. Тем не менее большим облегчением было видеть, как тот враскачку идет на шканцы, его обветренное лицо расплылось в улыбке.

— Лягушатники сбежали через заднюю дверь, — доложил Буш. — У них потерь почти никаких. У нас...

Хорнблауэр, стиснув зубы, выслушал скорбный перечень. Возбуждение схлынуло, он чувствовал слабость и дурноту, руки так и норовили задрожать. Он насилу выдавил улыбку, похвалил сперва тех, кого Буш специально отметил, потом всю команду, выстроившуюся на главной палубе. Уже несколько часов вышагивал он по шканцам, притворяясь невозмутимым, теперь наступила мучительная реакция. Оставив Буша разбираться с трофеями — надо было назначить на них сокращенную команду и направить в Маон, — Хорнблауэр без единого слова двинулся в каюту. Только тут он вспомнил, что корабль подготовлен к бою. Одиночество удалось обрести лишь в углу кормовой галереи, где его не видно было из окон кормовой каюты. Там он и сидел на парусиновом стульчике, пока матросы устанавливали переборки и закрепляли пушки. Он откинулся на спинку стула, свесил руки и закрыл глаза. Внизу плескала под кормовым подзором вода, рядом стонали рулевые крюки. Всякий раз, как Буш клал «Сатерленд» на другой галс, голова у Хорнблауэра переваливалась на другое плечо.

О чем вспоминать было совершенно невыносимо, так это о риске — при одной только этой мысли по спине и ногам пробегал холодок. Он опрометчиво подставил корабль под обстрел — ему невероятно повезло, что покалеченный «Сатерленд» не дрейфует сейчас к подветренному берегу, навстречу ликующим врагам. Так уж Хорнблауэр был устроен, что не ценил своих заслуг, словно и не рассчитал все точно, не предусмотрел вплоть до последних мелочей. Он обругал себя авантюристом, обругал свою привычку прежде лезть в самое пекло и лишь потом оценивать риск.

Стук тарелок в каюте напомнил, что его могут увидеть. Он выпрямился и сделал каменное лицо. Как раз вовремя — на галерею вышел Полвил.

— Я вам перекусить принес, сэр, — сказал он. — Вы не ели со вчерашнего дня.

Хорнблауэр вдруг ощутил волчий голод и тут же вспомнил: утром Полвил принес ему на шканцы чашку кофе.

Там она, наверно, и стыла, пока Полвил ее не унес. С удовольствием предвкушая хороший обед, он встал и прошел в каюту. Полвил суетился, разыгрывал из себя няньку и даже, возможно, норовил превысить полномочия, но Хорнблауэра это почти не раздражало. Холодный язык был превосходен, и Полвил по наитию поставил на стол початую бутылку кларета. В одиночестве Хорнблауэр редко пил что-либо крепче воды, однако сегодня осушил три бокала, чувствуя, что вино как нельзя кстати.

Пища и вино подкрепили его, усталость прошла, в мозгу зашевелились новые планы. Неосознанно он начал продумывать, чем бы еще досадить неприятелю. Пока он пил кофе, новые мысли уже зарождались, но он еще этого не знал. Он ощущал только, что каюта вдруг сделалась тесной и душной — его потянуло на свежий воздух, к свету. Полвил пришел убрать со стола и увидел через окно, что капитан расхаживает по кормовой галерее. Прослужив много лет у него под началом, вестовой научился делать выводы по наклону головы, по задумчивости, по тому, как сцепленные за спиной руки сжимаются и разжимаются в такт умозаключениям.

Из того, что рассказал Полвил, нижняя палуба узнала о близкой операции ровно за два часа до того, как Хорнблауэр поднялся на шканцы, дабы отдать предваряющие ее приказы.

XI

— Хорошо стреляют, сэр, — сказал Буш, когда ярдах в ста по правому траверзу на мгновение ожил фонтан брызг.

— А чего бы им плохо стрелять? — отозвался Джерард. — Сорокадвухфунтовки на стационарных лафетах, обрыв пятьдесят футов над водой, артиллеристы служат уже небось лет по десять.

— Все равно я видел, как с берега стреляют хуже, — заметил Кристел.

— До них мили полторы, если я не совсем ослеп, — предположил Буш.

— Больше, — возразил Кристел.

— От силы миля, — сказал Джерард.

— Чепуха, — отмахнулся Буш.

В перепалку вмешался Хорнблауэр.

— Попрошу внимания, джентльмены. Мне понадобятся еще Рейнер и Хукер. Эй, позовите мистера Рейнера и мистера Хукера! Поглядите внимательно на это место.

Офицеры, повернувшись спиной к догорающему закату, устремили подзорные трубы на Пор-Вандр. Позади города изумляла кажущейся высотой гора Канигу, слева отроги Пиренейских гор спускались в море, образуя мыс Сербера, за которым кончалась Испания и начиналась Франция. Посреди розовели в свете заката белые домики Пор-Вандра, сгрудившиеся у изгиба маленькой бухты. Перед ними покачивалось на якоре судно. Его защищали батареи по обоим берегам бухты — с них временами постреливали, надеясь с такой большой дистанции попасть в британский корабль, нагло подошедший к самым берегам Великой империи.

— Запомните, где левая батарея, мистер Джерард, — сказал Хорнблауэр. — Мистер Рейнер, видите правую батарею? Оттуда как раз стреляют. Запомните ее расположение, чтобы не было никаких ошибок. Мистер Хукер, видите, как изгибается бухта? Вам придется сегодня ночью провести шлюпку к тому вот кораблю.

— Есть, сэр, — отвечал Хукер.

Офицеры обменялись взглядами.

— Положите корабль на правый галс, мистер Буш. Мы отойдем подальше в море. Теперь, джентльмены, выслушайте приказы.

Поворачиваясь к каждому по очереди, Хорнблауэр коротко проинструктировал офицеров. Предстояло захватить укрывшееся в Пор-Вандре судно, завершив тем самым двадцатичетырехчасовую эпопею, начавшуюся пленением «Амелии» и продолжившуюся штурмом батареи в Льянце.

— Луна встанет в час. На теперешнюю позицию мы вернемся в двенадцать, — сказал Хорнблауэр.

Если повезет, уведя «Сатерленд» из пределов видимости он обманет бдительность гарнизона в Пор-Вандре, в темноте же вернется незамеченными. Часа полной темноты хватит, чтобы захватить противника врасплох, потом взойдет луна, в ее свете можно будет вывести из бухты пленное судно, а если атака окажется безуспешной — отступить.

— Мистер Буш остается командовать кораблем, — сказал Хорнблауэр.

— Сэр! — запротестовал Буш. — Прошу вас, сэр...

— Вы достаточно отличились сегодня, — отрезал Хорнблауэр.

Он решил лично возглавить атаку, зная, что не выдержит томительного ожидания в стороне от боя. Он уже и сейчас был как в лихорадке, хотя старался не подавать виду.

— На абордаж пойдут матросы, — продолжал Хорнблауэр. — Мистер Джерард и мистер Рейнер разделят между собой морских пехотинцев.

Слушатели понимающе закивали. Только опытные моряки сумеют поставить паруса на незнакомом судне.

— Вы понимаете, что от вас требуется? — спросил Хорнблауэр. Они снова кивнули. — Мистер Хукер, повторите мои инструкции.

Хукер повторил. Толковый офицер — Хорнблауэр знал это, когда по возвращении «Лидии» рекомендовал его в лейтенанты.

— Хорошо, — сказал Хорнблауэр. — Тогда, джентльмены, попрошу вас сверить часы с моими. Стрелки можно будет разглядеть в свете звезд. Что, мистер Хукер? Часов нет? Думаю, мистер Буш любезно одолжит вам свои.

По лицам офицеров Хорнблауэр видел, что сверка часов подействовала на них желаемым образом: лучше любых слов убедила точно следовать расписанию. Иначе они пропустили бы мимо ушей слова «пять минут» или «десять минут», а он, в отличие от них, понимал, что операция, проводимая в полной темноте, должна быть предельно точно выверена во времени.

— Вам все понятно? Тогда, возможно, вы все, джентльмены, за исключением вахтенного, согласитесь разделить со мной вечернюю трапезу.

Офицеры вновь переглянулись: еще один легендарный обед у Хорнблауэра перед началом боя. Сэвидж помнил, как на «Лидии» они обедали в преддверии стычки с «Нативидадом». Тогда с ним были Гэлбрейт, его дивизионный лейтенант, и Клэй, его ближайший друг. Гэлбрейт умер от гангрены в Тихом океане, Клэю оторвало голову пушечным ядром.

— Сегодня виста не будет. — Хорнблауэр улыбнулся, угадывая мысли Сэвиджа. — До полуночи еще многое надо сделать.

В прежние времена Хорнблауэр перед боем довольно часто усаживал своих офицеров за карты: взволнованные подчиненные путались, и он, критикуя их ошибки, благополучно скрывал собственное возбуждение. Сейчас, провожая их в каюту, он был улыбчив, благодушен, гостеприимен. От волнения он часто делался говорлив и сегодня, развлекая притихших гостей, вопреки обыкновению не старался это побороть. Он с улыбкой судачил о пустяках, офицеры смотрели и дивились. Они редко видели его таким — только перед решительной стычкой — и забыли, каким по-человечески обаятельным он может быть, если пожелает. Для него это был способ не думать о скором сражении — очаровывать гостей, не переступая, однако, той грани, которая отделяет капитана от подчиненных.

— Боюсь, — сказал Хорнблауэр, комкая салфетку и бросая ее на стол, — нам пора на палубу, джентльмены, как ни безумно жаль разбивать такую приятную компанию.

Из освещенной лампами каюты они вышли на темную палубу. Звезды мерцали на ночном небе и отражались в море, по которому крался призрачный «Сатерленд», паруса терялись во тьме, слышны были только пение такелажа, да музыкальный плеск невидимых волн под водорезом. Матросы отдыхали на шкафуте, переговаривались шепотом, подчиняясь отданным вполголоса приказаниям, тихо перебирались к постам. Хорнблауэр вместе с Бушем проверил положение корабля и направил подзорную трубу на окутанный тьмой берег.

— Команду баркаса номер один сюда! — тихо позвал Джерард.

— Команду баркаса номер два сюда! — эхом откликнулся Рейнер.

Матросы тихо выстраивались по обеим сторонам грот-мачты.

Команда двух других шлюпок собиралась на шканцах. В вылазке примут участие двести пятьдесят человек — если она провалится, Бушу трудненько будет с оставшимися матросами дойти до мыса Паламос.

— Положите корабль в дрейф, мистер Буш, — приказал Хорнблауэр.

Одна за другой шлюпки на веслах отходили от корабля. Последним через борт перелез Хорнблауэр. Он опустился рядом с Брауном и Лонгли на корму гички, Браун рявкнул на гребцов и те отвалили. Флотилия бесшумно двинулась прочь от корабля — лопасти весел, заблаговременно обмотанные тряпьем, не плескали. Тьма была непроницаемой и, как обычно, у воды казалась еще чернее, чем на палубе. Гичка медленно шла вперед, разошедшиеся в разные стороны баркасы быстро потерялись из виду. Весла неслышно входили в бархатистую черноту вод.

Хорнблауэр сидел неподвижно, опустив руку на рукоять шпаги ценою в пятьдесят гиней. Ему хотелось вертеться, ища глазами другие шлюпки; с каждой минутой волнение нарастало. Какой-нибудь дурак-пехотинец заденет ружейный замок, у кого-нибудь из гребцов выпалит пистолет, по беспечности не поставленный на предохранитель. Любой шум, долетевший до берега, сорвет операцию, погибнут сотни людей, а на его голову — если она останется цела — падет адмиральский гнев. Хорнблауэр сурово приказал себе выждать еще пять минут и лишь потом вытащил подзорную трубу.

Тогда наконец он различил еле видный серый обрыв. Он повернул румпель и направил шлюпку в устье.

— Суши весла, — выдохнул он.

Шлюпка тихо скользила под звездным небом. За кормой двумя сгустками темноты крались два тендера. Поднеся часы к самому носу, Хорнблауэр разобрал время. Надо выждать еще три минуты.

До ушей долетел отдаленный шум — плеск воды в гавани. Это ярдах в двухстах впереди: Хорнблауэру казалось, что он видит даже и всплески. Так он и знал: французы караулят свое драгоценное судно. Их капитану невдомек, что дозорная шлюпка с обмотанными веслами, медленно ползущая вокруг корабля, была бы куда большей помехой для нападающих. Хорнблауэр вновь глянул на часы.

— Весла, — прошептал он. Матросы приготовились грести. — Прямо по курсу — дозорная шлюпка. Помните, ребята, холодная сталь. Любого, кто выпалит прежде меня, застрелю на месте. Весла на воду!

Гичка понеслась вперед, к входу в бухту. Через несколько секунд она будет в перекрестии двух батарей, в точке, из-за которой непрерывно наблюдали дозорные, на которую с наступлением ночи направляют пушки. Первый же залп разнесет незваных посетителей в щепки. Какую-то ужасную секунду Хорнблауэр гадал, не заблудились ли во тьме баркасы.

Тут он услышал. Справа донесся громкий боевой клич, слева отозвались, и тут же крики потонули в треске ружейного огня. Рейнер и Джерард вели своих людей на батарею и оба, согласно приказу, производили адский шум, отвлекая артиллеристов в самый существенный момент.

Теперь Хорнблауэр точно видел всплески: команда дозорной шлюпки отвлеклась на шум и налегла на весла. Невидимая гичка бесшумно устремилась вперед. Между шлюпками оставалось меньше пятидесяти ярдов, когда французы наконец заметили атакующих.

— *Qui va la?* [1] — резко выкрикнул кто-то. Раньше, чем мог бы последовать ответ, Хорнблауэр переложил румпель, и гичка с треском ударила о борт караульной шлюпки.

За секунду до столкновения он приказал убрать весла; гичка прошлась по веслам караульной шлюпки, опрокинув половину гребцов. Хорнблауэр загодя вытащил шпагу и, как только шлюпки столкнулись, прыгнул. От волнения перехватило дыхание. Он наступил обеими ногами на чье-то тело, соскочил, чудом удержав равновесие. Возле своего колена увидел чье-то лицо, пнул, больно ушиб ногу и в ту же секунду вонзил шпагу в чью-то голову. Почувствовал, как клинок входит в кость, шлюпка ужасающе раскачивалась под прыгающими в нее матросами. Кто-то выпрямился — в свете звезд Хорнблауэр различил черную полоску усов. Значит, не англичанин. Хорнблауэр сделал яростный выпад, шлюпка вновь накренилась, и он вместе с противником упал на лежащего человека. Когда он поднялся, все было кончено без единого выстрела. Французы были частью мертвы, частью за бортом, частью без сознания. На шее и на запястьях Хорнблауэр ощущал липкую влагу — кровь, очевидно, но ему некогда было это осмысливать.

— В гичку, ребята, — приказал он. — Весла на воду.

Весь бой занял от силы несколько секунд. С батареи по-прежнему доносился шум сражения. Когда гичка отваливала от побежденной шлюпки, ружейные выстрелы загремели дальше в заливе. Тендеры добрались до стоящего на якоре судна, обогнув, согласно отданному прежде приказу, две сцепленные шлюпки. Хорнблауэр взял курс

[1] Кто идет? (*фр.*).

на ружейные вспышки. Видимо, с налета овладеть судном не удалось: стреляли из-за фальшборта, судя по тому, что вспышки возникали на одном уровне. Команда на ногах и успела натянуть абордажные сетки.

Малыш Лонгли от волнения подпрыгивал на месте.

— Сидеть смирно! — рявкнул на него Хорнблауэр. Он повернул румпель, гичка проскользнула под кормой корабля к другому борту, туда, где еще не стреляли.

— Убрать весла! — прошипел Хорнблауэр. — Баковый, цепляйся. Ну, все вместе, ребята! Ура!

Нелегко карабкаться вверх — абордажные сетки действительно натянуты. Хорнблауэр через сетку нащупал ногой фальшборт, опасно закачался над водой — сетки были закреплены за ноки реев и отвисали наружу. Он бился, как муха в паутине. Рядом так же безуспешно дергался Лонгли. Мальчик сжимал в зубах кортик — вероятно, наслушался матросских баек. Он так по-дурацки выглядел, болтаясь на сетке с тяжелым кортиком в зубах, что Хорнблауэр истерически хихикнул. Уцепившись одной рукой за сетку, он другой выхватил шпагу и принялся кромсать просмоленные тросы. Из шлюпки прыгали матросы, сетка содрогалась, норовя сбросить в воду.

Все дико вопили. Напав на неохраняемый борт, они должны посеять среди французов панику — те и так уже отбиваются от двух других шлюпок. Отличный клинок ценою в пятьдесят гиней рассекал трос за тросом. Вдруг что-то с треском порвалось, Хорнблауэр потерял равновесие и чуть не свалился в воду, судорожным усилием наклонился вперед, упал на четвереньки — шпага звякнула о палубу. К нему бежали французы, он видел перед собой наконечник пики. Ухватился за древко, откинулся назад, вырвал пику. Кто-то пнул его коленом в затылок и навалился сверху, чуть не свернув шею. Хорнблауэр высвободился, чудом нашарил шпагу и вскочил. Навстречу бежали черные фигуры.

У самого уха выстрелил пистолет, чуть не оглушив, и тут бегущие навстречу люди куда-то подевались. Теперь на их месте были англичане: они тоже бежали и кричали «ура!»

— Мистер Кристел!

— Сэр!

— Рубите канат! Мистер Хукер здесь?

— Здесь, сэр!

— Наверх с командой своей шлюпки, ставьте паруса.

Еще рано себя поздравлять. С берега могут подоспеть шлюпки с подкреплением для французов, гарнизон батарей мог отбиться от Джерарда и Рейнера, тогда уходить придется под огнем.

— Браун!

— Сэр!

— Запусти ракету!

— Есть, сэр!

Ракету Браун захватил по приказу Хорнблауэра — увидев ее, Джерард и Рейнер поймут, что судно захвачено. Ветер с суши — он вынесет корабль из бухты. Хорнблауэр этого ждал — после жаркого дня неизбежно должен был задуть береговой бриз.

— Канат перерублен, сэр! — прокричал с бака Кристел.

Хукер отдал грот-марсель, корабль уже набирал скорость.

— Команда гички, команда первого тендера, к брасам! Бенскин! Ледли! К штурвалу! Руль круто направо!

Браун, сидя на корточках и загораживая спиной ветер, высек искру. Ракета взмыла к звездам и рассыпалась водопадом искр. Поставили фока-стаксель, корабль развернулся и с ветром на траверзе заскользил из бухты. Прямо по курсу вставала луна: ущербная, дрожащая, она еле-еле освещала Хорнблауэру путь между батареями. С берега донеслись свистки, прорезавшие еще не смолкшую ружейную пальбу — Рейнер и Джерард звали своих людей в шлюпки.

У борта плеснула вода — раз, другой. Кто-то из французов, спасаясь от плена, вплавь добирался до берега. Закончилась хорошо спланированная операция.

XII

Лионский залив не обещал серьезной поживы — к такому выводу Хорнблауэр пришел, прочесывая подзорной трубой французское побережье. Залив мелководен, опасен, в шторм буен, он глубоко вдается в сушу — при северном, западном и южном ветрах кораблю угрожает подветренный берег. Богатые трофеи оправдали бы навигационный риск, но Хорнблауэр не видел подходящих жертв. От Пор-Вандра до самого Марселя, где кончается вотчина Прибрежной эскадры, вдоль пологого берега тянутся большие однообразные лагуны, отделенные от моря песчаными косами или полосками возделанной земли. На косах там и сям стоят форты или батареи, а города — Сет, Эг-Морт и другие — окружены средневековыми крепостными стенами, против которых Хорнблауэр ничего предпринять не может.

Но главным препятствием оставались все те же лагуны, еще римлянами объединенные в судоходный путь посредством каналов. По ним могли передвигаться суда водоизмещением до двух тонн — Хорнблауэр и сейчас видел в подзорную трубу грязновато-бурые паруса, которые, казалось, плыли по зеленым виноградникам. Входы в лагуну со стороны моря основательно укреплены: чтобы напасть на одно из этих суденышек, ему пришлось бы вести корабль в опасный пролив между песчаными отмелями, к тому же под обстрелом. Даже осуществив это, он вряд ли смог бы атаковать судно в лагуне.

Синее Средиземное море под ослепительно голубым небом то зеленело, то даже желтело на мелководье, постоянно напоминая Хорнблауэру об опасности. На баке кипела корабельная жизнь. Буш, с часами в руках, гонял по реям пятьдесят человек марсовых — за последние девяносто минут они раз двенадцать ставили и убирали фор-брамсель, чем, надо думать, окончательно сбили с толку французских наблюдателей. На главной палубе восседал на низком табурете боцман Гаррисон, а вокруг него человек двадцать недавних новичков, сидя по-турецки, постигали премудрости сплесней и морских узлов. С нижней палубы доносился визг и грохот орудийных катков — это Джерард обучал желторотых артиллеристов обращаться с двадцатичетырехфунтовками. Джерард решил, что ему нужно по шесть опытных канониров на каждую пушку и был еще очень далек от задуманного. На полуюте Кристел с секстаном терпеливо внушал мичманам начатки навигации — он бубнил и бубнил, нетерпеливые юнцы вертелись и переминались с ноги на ногу. Хорнблауэр им сочувствовал. Он с детства любил математику, в годы юного Лонгли щелкал логарифмы, как орехи, а задачкой из сферической тригонометрии наслаждался не меньше, чем некоторые из этих молодых людей — непонятной ему музыкой.

В недрах корабля монотонно стучали молотки — плотник с помощниками заканчивали латать большую пробоину, полученную вчера при штурме батареи в Льянце — трудно поверить, что это произошло только вчера. Перестук помп напоминал, что кто-то отбывает мелкие провинности, откачивая из трюма воды. «Сатерленд» недавно из дока, почти не течет, в спокойную погоду — меньше дюйма в день. Помпы работают всего по часу в день, каждое утро, и назначают на них матросов из черных списков Буша или Гаррисона — тех, кто последним поднялся по трапу или неправильно повесил гамак, кто нарочно или нечаянно совершил один из бесчисленных проступков, которые выводят из себя боцманов и первых лейтенантов. Однообразная и малопривлекательная работа на помпе — наказание куда более практичное, чем порка, и притом более действенное, что бы ни думал по этому поводу лейтенант Буш.

Из камбузной трубы шел дым, и даже на шканцах пахло готовкой. Сегодня матросы славно пообедают, с пудингом. Вчера их кормили одними сухарями и водой, поскольку за двадцать четыре часа корабль трижды участвовал в стычках.

Они не сетовали — главное, что им сопутствует успех. Удивительно, как благотворно победы сказываются на дисциплине. Потеряв убитыми одиннадцать и ранеными шестнадцать человек, отправив еще сорок два человека на трофейные суда и приобретя взамен лишь двоих — пленных, которые английской тюрьме предпочли службу в английском флоте, — «Сатерленд» сегодня куда боевитее, нежели вчера при почти полной команде. Хорнблауэр со шканцев видел, что все довольны и веселы.

Он сам был доволен и весел. Суд совести временно безмолвствовал, вчерашние страхи забылись, а три успешные операции помогли вернуть самоуважение. Он стал на тысячу фунтов богаче — об этом и поразмыслить приятно. У него никогда еще не было тысячи фунтов. Он вспомнил, как леди Барбара тактично отвела глаза от латунных пряжек на его башмаках. Следующий раз, когда он придет в гости к леди Барбаре, на нем будут башмаки с тяжелыми золотыми пряжками — с бриллиантами, если он того пожелает. Как-нибудь ненавязчиво он сумеет привлечь к ним ее внимание. У Марии будут браслеты и кольца — зримые приметы его успеха.

Хорнблауэр с гордостью вспоминал, что вчера ночью в Пор-Вандре вовсе не испытывал страха, даже когда прыгал в караульную шлюпку, даже когда лихорадочно цеплялся за абордажную сетку. Он не только заполучил вожделенное богатство — он еще и убедился, к собственному изумлению, что обладает той самой отвагой, которой нередко завидовал в подчиненных. Что характерно, он и сейчас не придавал значения смелости моральной, организационным способностям, изобретательности — реальным своим заслугам. Он был исполнен оптимизма и уверенности в себе. В таком-то приподнятом настроении он вновь поглядел на мерзкий берег по левую руку и призадумался, чем бы насолить здесь. Внизу в каюте — трофейные французские карты, которыми снабдило его Адмиралтейство, надо думать, такие же имеются на «Плутоне» и на «Калигуле». Хорнблауэр спозаранку просидел над ними несколько часов. Сейчас, глядя на зеленый отмелый берег и коричневый песок, он припоминал подробности. Он подошел к берегу до опасного близко, однако вон до того паруса выстрел и еще полмили.

Налево Сет, высится на холме посреди гладкой низины. Хорнблауэру припомнился так же возвышающийся над болотами Ромни Рай[1], но Сет — мрачный городишко с преобладанием черных строений, Рай — зеленый с красным. И Сет окружен крепостной стеною, за ней гарнизон. Соваться туда бессмысленно. За Сетом — большая лагуна, Этан-де-То, главное звено в цепи внутриматериковых сообщений, укрывающей французские корабли на пути от Марселя и Роны к подножию Пиренеев. Сет по всей видимости неуязвим, равно как и корабли в Этан-де-То.

Самое слабое звено в цепочке лагун — короткий отрезок судоходного канала между Эг-Мортом и Этан-де-То, отделенный от моря всего лишь узкой косой. Если ударить, то только сюда; в эту самую секунду Хорнблауэр увидел, по кому нанести удар — грязновато-бурый парус в каких-то двух милях от «Сатерленда». Это, видимо, французское каботажное судно, снующее между Пор-Вандром и Марселем с грузом вина и масла. Безумие — замышлять что-то против него, и все же... все же... сегодня Хорнблауэр ощущал себя безумцем.

— Позовите старшину капитанской гички! — приказал он вахтенному мичману. Приказ передали по цепочке на главную палубу, и через две минуты запыхавшийся Браун уже ждал распоряжений.

— Плавать умеешь, Браун?

— Плавать, сэр? Да, сэр.

Хорнблауэр взглянул на кряжистые плечи и мощную шею Брауна. В разрез рубахи выглядывала густая черная растительность.

— Сколько человек из команды гички умеют плавать?

Браун взглянул направо, налево и только потом выдавил из себя позорное признание. Однако солгать Хорнблауэру он не посмел.

[1] Рай – небольшой приморский город в Восточном Сассексе.

— Не знаю, сэр.

Хорнблауэр, удержавшийся от упрека, был куда более грозен, чем Хорнблауэр, сказавший бы: «Положено знать».

— Мне нужна команда в гичку, — сказал Хорнблауэр. — Все — хорошие пловцы, и все, как один, добровольцы. Для опасного дела, и попомни мои слова, Браун, настоящие добровольцы. Никакой вашей принудительной вербовки.

— Есть, сэр, — отвечал Браун, немного поколебавшись. — Все будут добровольцы. Трудновато будет их подобрать. А вы идете, сэр?

— Да. Пусть каждый возьмет абордажную саблю. И по зажигательному пакету.

— По зажигательному пакету, сэр?

— Да. Кремень и огниво. Пару фитилей, промасленное тряпье, немного быстрого огнепроводного шнура и непромокаемый пакет. Возьмешь у парусного мастера прокрашенной парусины. И тросовый талреп, чтобы привязать пакет, пока будем плыть.

— Есть, сэр.

— Передай мистеру Бушу мои приветствия и попроси его пройти сюда, а сам отправляйся собирать команду.

Буш, не скрывая волнения, двинулся к шканцам, но не успел еще до них дойти, как корабль загудел — матросы передавали друг другу самые дикие версии того, что задумал капитан. Все последующее утро они лишь одним глазом смотрели на свою работу — другой был устремлен на французское побережье.

— Мистер Буш, — сказал Хорнблауэр. — Я отправляюсь на берег поджечь вон то каботажное судно.

— Так точно, сэр. Вы отправляетесь лично, сэр?

— Да, — отрезал Хорнблауэр.

Он не мог объяснить Бушу, что в принципе неспособен отправить людей на такое дело, где требуются добровольцы, а сам с ними не пойти. Он с вызовом посмотрел на Буша, Буш посмотрел на него, открыл было рот, чтобы возразить, счел за лучшее воздержаться и сказал совсем другое:

— Баркасы номер один и два, сэр?

— Нет. Они сядут на мель в миле от берега.

Это очевидно: четыре пенные полосы на удалении от берега обозначали места, где разбиваются о мелководье волны.

— Я беру свою гичку и команду из добровольцев.

Выражением лица Хорнблауэр предупреждал Буша, что возражать бессмысленно, но тот все же нашелся что сказать.

— Да, сэр. А нельзя отправиться мне, сэр?

— Нет.

Категоричный отказ исключал дальнейшие пререкания. Глядя Хорнблауэру в упрямые глаза, Буш не впервые испытал странное чувство, будто говорит со своенравным сыном — он любил капитана, как любил бы сына, будь у него сын.

— И запомните, Буш. Никаких спасательных операций. Если мы не вернулись, значит, не вернулись. Вы поняли? Или мне изложить это в письменном виде?

— Не надо, сэр. Я понял.

Буш произнес это с тоской. Хорнблауэр хоть и высоко ценил его опыт, за умение своего первого лейтенанта планировать собственные операции не дал бы и ломаного гроша.

Страшно даже представить, что Буш высадится на французское побережье и будет губить незаменимых матросов в тщетной попытке его спасти.

— Очень хорошо. Положите корабль в дрейф, мистер Буш. Если все пойдет по плану, мы вернемся через полчаса. Ждите нас здесь.

Приказывая спустить гичку, Хорнблауэр надеялся, что на берегу не обратят внимания. Наблюдая, как Буш проводит парусные учения, французы наверняка уверились, что «Сатерленд» маневрирует без всякого толка, и вряд ли заметят, что на нем ненадолго обстенили грот. Хорнблауэр сел рядом с Брауном, матросы разобрали весла. Шлюпка легко заплясала на волнах; Хорнблауэр направил ее к берегу чуть впереди от бурого паруса над зеленой полосой, потом обернулся на «Сатерленд». Гичка мчалась прочь, и величественный корабль под пирамидой парусов уменьшался на глазах. Даже сейчас неутомимый мозг Хорнблауэра изучал обводы, наклон мачт, прикидывал, как улучшить мореходные качества.

Они прошли первую полосу бурунов — море так лениво било о мелководье, что их и бурунами-то трудно было назвать, — и понеслись к золотистому берегу. Через минуту шлюпка дернулась, проскребла дном о песок и встала.

— За мной, ребята! — крикнул Хорнблауэр.

Он перебросил ноги через борт и оказался по пояс в воде. Матросы, не мешкая, последовали за ним, ухватились за планширь и толкали полегчавшую шлюпку, пока не стало совсем мелко — вода еле доходила до щиколоток. Хорнблауэр чуть не побежал вперед, увлекая их за собой, но тут же опомнился:

— Абордажные сабли? — спросил он сурово. — Зажигательные пакеты?

Оглядев всех девятерых, убедился, что каждый вооружен и при пакете, и двинулся вперед. Нечего было и думать, чтобы пробежать всю косу и потом плыть. Песчаная отмель переходила в поросший девясилом галечный вал. Перемахнув через него, они оказались в зеленом винограднике. Ярдах в двадцати сгорбленный старик и две старухи мотыжили землю; они изумленно уставились на пришельцев. Те оживленно переговаривались, однако французы смотрели на них без единого звука. В четверти мили за виноградником виднелся бурый шпринтовый парус, за которым уже можно было разглядеть и маленькую бизань. Хорнблауэр выбрал тропинку, которая вела примерно в нужном направлении.

— Идем, ребята, — сказал он и побежал рысцой.

Увидев, что моряки топчут виноград, старик что-то закричал. Звуки чужой речи насмешили матросов — они никогда их прежде не слышали. Многие и виноградник видели впервые — Хорнблауэр слышал, как за спиной матросы удивленно обсуждают аккуратные ряды, по-видимости, бесполезных пеньков и маленькие неоформившиеся гроздья.

Они пересекли виноградник, дальше берег круто спускался к дороге. Лагуна была не больше двухсот ярдов в ширину, и фарватер, видимо, проходил совсем близко к дороге — во всяком случае, цепочка бакенов в сотне ярдов от нее скорее всего отмечала мели. Каботажное суденышко ползло, не ведая об опасности. Матросы завопили и начали срывать одежду.

— Молчать, болваны! — рявкнул Хорнблауэр. Он отстегнул перевязь и снял сюртук.

Заслышав крики, команда каботажного судна высыпала на бак — трое мужчин, к которым вскоре присоединились две крепкие женщины. Все они из-под руки разглядывали берег. Тут одна из женщин сообразила, к чему раздеваются люди на дороге. Хорнблауэр, стягивая штаны, услышал ее визг и увидел, как она бежит на корму. Каботажное судно уже почти поравнялось с англичанами, когда большой шпринтовый парус стремительно пошел вниз и руль круто повернули. Но поздно: судно развернулось, прошло цепочку бакенов и рывком село на мель. Рулевой бросил штурвал и воззрился на англичан, остальные тесной кучкой столпились вокруг него. Хорнблауэр надел перевязь на голое тело. Браун, тоже голый, заткнул за пояс обнаженную саблю.

— Вперед! — приказал Хорнблауэр.

Чем быстрее, тем лучше. Сложив руки над головой, он рыбкой плюхнулся в лагуну; матросы прыгали следом, гикая и плеща водой. Она была теплая, как парное молоко — Хорнблауэр плыл медленно и по возможности ровно. Плавал он плохо, и каботажное судно в каких-то пятидесяти ярдах казалось недостижимым. Шпага болталась на перевязи и тянула вниз. Его обогнал Браун, шумно загребавший воду. В белых зубах он сжимал талреп зажигательного пакета, густые черные волосы намокли и прилипли к голове. Другие матросы тоже обогнали Хорнблауэра. Он только подплывал к кораблю, когда они уже выбрались на низкий шкафут, однако дисциплина возобладала: они дождались его и втащили на борт. Он выдернул из ножен шпагу и шагнул на бак. Французы стояли молча, и он на секунду задумался, как же быть с ними. Под ослепительным солнцем французы и англичане смотрели друг на друга, с голых тел лилась вода, но в эту напряженную минуту ни те, ни другие не ощущали наготы. С облегчением Хорнблауэр вспомнил, что за суденышком тянется на буксире двойка — он ткнул в нее пальцем и попытался припомнить французский.

— *Au bateau,* — сказал он. — *Dans le bateau.*

Французы колебались. Среди них были четверо мужчин и один старик, две немолодые женщины и одна старуха. Английские моряки, сгрудившиеся за спиной капитана, вытаскивали сабли.

— *Entrez dans le bateau*[1], — повторил Хорнблауэр. — Хобсон, подтяни-ка к борту двойку.

Одна из женщин разразилась визгливой бранью. Она размахивала руками, ее деревянные башмаки выбивали на палубе мелкую дробь.

— Я с ними управлюсь, сэр, — вмешался Браун. — А ну вали за борт!

Он схватил ближайшего француза за шиворот и, размахивая саблей, поволок по палубе к борту. Тот покорился и перелез в шлюпку. Остальным недоставало только его примера. Браун отцепил фалинь, и перегруженная двойка поплыла по течению. Женщина продолжала сыпать каталанскими ругательствами.

— Подожгите корабль! — приказал Хорнблауэр. — Браун, возьми троих, идите вниз и гляньте, что можно сделать там.

Французы взялись за весла и теперь осторожно гребли к берегу. Двойка остановилась в дюйме от кромки воды. Хорнблауэр наблюдал, как французы выбираются на дорогу.

Его матросы орудовали тихо и ловко. Снизу доносился треск — Браун со своими людьми что-то крушил в трюме. Почти тут же из светового люка повалил дым — это полили маслом и подожгли сваленную в кучу мебель.

— Груз — масло в бочках и зерно в мешках, — доложил Браун. — Мы разбили часть бочек и развязали несколько мешков. Гореть будет. Смотрите, сэр.

---

[1] Садитесь в лодку *(фр.)*.

Из грот-люка поднимался черный дымок, воздух над люком дрожал, отчего весь бак, казалось, плясал и плыл в солнечном свете. Перед люком горела уже и сухая древесина палубы. Она трещала и пылала, хотя на ярком свету огонь без дыма был почти невидим; на полубаке тоже горело, из-под двери в переборке валил дым, медленной волной накатывал на Хорнблауэра и матросов.

— Выломайте часть досок из палубы, — хрипло приказал Хорнблауэр.

Хруст досок, потом тишина. Нет, не тишина — Хорнблауэр различал приглушенный нестихающий гул. Это огонь пожирал груз — как только взломали палубу, увеличилась тяга, и пламя заплясало веселее.

— Ух ты! Здорово! — воскликнул Браун.

Весь шкафут, казалось, разверзся, пламя полыхало. Жар вдруг сделался невыносим.

— Можно возвращаться, — сказал Хорнблауэр. — За мной, ребята.

Он показал пример, первым нырнув в лагуну, и маленький голый отряд медленно поплыл к дороге. Матросы плыли медленно, вызванное атакой возбуждение схлынуло. Ужасное зрелище пылающей палубы протрезвило всех. Они плыли медленно, вровень со своим капитаном, а он устал и греб бестолково. Когда он ухватился наконец за прибрежный тростник, то почувствовал облегчение. Матросы выбрались на берег, Браун протянул ему мокрую руку и помог вылезли.

— Пресвятая Дева! — воскликнул один матрос. — Гляньте-ка на старую ведьму!

Они были в тридцати ярдах от того места, где оставили одежду и куда высадились французы. В эту самую минуту старуха бросала в лагуну последние штаны. Две уцелевшие

рубахи, надутые воздухом, плыли по лагуне, все остальное ушло на дно.

— Для чего ты это сделала, чертовка?! — заорал Браун.

Матросы подбежали к французам и теперь, голые, размахивали руками и приплясывали от досады. Старуха указала на суденышко. Оно горело от носа до кормы, из бортов валил черный дым. Такелаж грот-мачты прогорел, мачта осела на бок, ее лизало еле заметное пламя.

— Я сплаваю вам за рубашкой, сэр, — сказал один из матросов, сбрасывая оцепенение.

— Нет. Идем, — отвечал Хорнблауэр.

— Сгодятся вам штаны с этого старика, сэр? — спросил Браун. — Он их живо у меня снимет, старый хрен. Не гоже...

— Нет! — снова сказал Хорнблауэр.

Голые, они вскарабкались по склону к винограднику. Обернувшись в последний раз, Хорнблауэр увидел, что две женщины плачут навзрыд, мужчина похлопывал одну из них по плечу. Остальные в горестном оцепенении наблюдали, как горит их судно — все их достояние. Хорнблауэр повел отряд через виноградник. К ним во весь опор мчался верховой — судя по синему мундиру и треуголке, бонапартистский жандарм. Он остановил лошадь перед самым отрядом, потянулся за саблей, но в то же время неуверенно крутанул головой — сперва направо, потом налево — высматривая подкрепление, которого нигде не было.

— Получай! — заорал Браун, бросаясь на него с тесаком.

Другие матросы тоже наступали с оружием в руках. Черноусый жандарм поспешно развернул лошадь и оскалился, обнажив белые зубы. Отряд побежал к берегу, Хорнблауэр, обернувшись, увидел, что жандарм спешился и пытается отвязать приторочённый к седлу карабин. Лошадь беспокоилась, мешала. На берегу стояли давешние старик и две женщины; старик угрожающе размахивал мотыгой, женщины из-под опущенных ресниц поглядывали на голых мужчин и бесстыдно хихикали. Здесь же была гичка, а дальше — «Сатерленд». При виде корабля матросы разразились приветственными криками.

Они быстро вытолкнули шлюпку на воду, подождали, пока Хорнблауэр сядет, протащили дальше, попрыгали внутрь и ухватились за весла. Кто-то вскрикнул, занозивши голый зад о грубую банку; Хорнблауэр машинально улыбнулся, но пострадавший уже смолк, осаженный недовольным Брауном.

— Вот и он, сэр, — сказал загребной, указывая Хорнблауэру через плечо. Тот обернулся: жандарм в высоких ботфортах неуклюже бежал к берегу, сжимая в руке карабин. Вот он опустился на одно колено, прицелился. На минуту Хорнблауэр с тоской подумал, неужели карьеру его оборвет жандармская пуля, но даже свиста ее не услышал, только увидел дымок над дулом карабина. Человек, который скакал во весь опор, потом бежал в тяжелых сапогах, вряд ли за двести ярдов попадет с первого выстрела в шлюпку.

За косой облаком клубился дым. Каботажное судно догорало. Ужасно, дико, что пришлось сжечь такое прекрасное судно, однако воевать — и значит разрушать. Владельцы суденышка разорены, зато люди, которых за все эти годы война практически не затронула, исключая разве что рекрутские наборы, ощутили на себе, каково это, воевать с Англией. Мало того: власти, ответственные за оборону берега, будут тревожиться за тот самый отрезок Марсель-Испания, который прежде почитали неуязвимым. Чтобы защититься от дальнейших набегов, им придется отряжать войска, устанавливать пушки, растягивать и без того немногочисленные силы по двухсотмильному побережью. Этот жидкий заслон без труда сможет пробить, скажем, эскадра линейных кораблей. Если повести дело с умом, все побережье от Барселоны до Марселя будет жить в постоянном страхе. Это — способ истощить силы корсиканского колосса: в благоприятную погоду корабль движется в десять, в пятнадцать раз быстрее, чем войско на марше, так же быстро, как скачет гонец на хорошем скакуне.

Хорнблауэр ударил французам в центр, ударил в левый фланг. Теперь надо поспешить и на пути к месту встречи ударить в правый. Сидя на кормовой банке, Хорнблауэр то закидывал ногу за ногу, то снова снимал, нетерпеливо ожидая, когда же шлюпка доставит его на «Сатерленд».

Он отчетливо расслышал над водой голос Джерарда: «Что за черт?» — очевидно, Джерард только что разглядел, что они — голые. Засвистели дудки, призывая вахту встречать капитана. Придется подниматься через входной порт в чем мать родила и отвечать на приветствия офицеров и морских пехотинцев; впрочем, увлеченный новыми планами, Хорнблауэр на время позабыл о своем достоинстве. Он взбежал на палубу в одной перевязи — этого было не миновать, а за двадцать лет флотской службы он научился безропотно принимать неизбежное. Лица фалрепных и морских пехотинцев напряглись от сдерживаемого хохота, но Хорнблауэру было все равно. Черное облако дыма над берегом без слов говорило о свершениях, какими не грех гордиться. Не удосужившись прикрыть наготу, он велел Бушу повернуть оверштаг — теперь они отправятся на юг, навстречу новым приключениям. При таком ветре «Сатерленд» еле-еле сможет идти зюйд-вест, и пока погода благоприятствует, Хорнблауэр не намеревался терять и секунды.

XIII

По пути на юго-запад они «Калигулу» не встретили — по счастью, ибо не исключено, что за прошлые двое суток «Плутон» добрался до места встречи. В таком случае приказы Болтона утратили бы силу и Хорнблауэр не смог использовать отпущенные ему три дня. Широту мыса Паламос «Сатерленд» пересек в темноте, и утро застало его далеко к северо-западу. На правой скуле уже синели горы Каталонии.

Хорнблауэр вышел на палубу с рассветом, за час до того, как с мачты увидели землю. Теперь он приказал развернуть корабль и идти в бейдевинд на северо-восток, сам же разглядывал гористую местность, пока она не предстала во всех подробностях. Буш и другие офицеры толклись на шканцах, Хорнблауэр, расхаживая взад и вперед, ощущал на себе их взгляды, но делал вид, будто не замечает, всецело занятый тем, что видит в подзорную трубу. Подчиненные убеждены, что он привел сюда корабль с определенной целью. Они ждут, когда им прикажут штурмовать батарею или захватывать неприятельские суда. В воображении они наделяют его дьявольской изобретательностью и чуть ли не провидческим даром. Что ж, он не будет их разочаровывать, не будет признаваться, что успехами своими обязан по большей части везению. Не станет признаваться и в том, что привел «Сатерленд» почти к самой Барселоне, полагаясь на общетактические соображения и в надежде: что-нибудь обязательно подвернется.

Пекло уже нестерпимо, синее небо на востоке отливало медью, оттуда же, со стороны Италии, дул жаркий ветер, который нимало не остудили четыре сотни миль Средиземного моря. Дышалось как возле печи для обжига кирпича. Уже через полчаса после купания под помпой Хорнблауэр взмок от пота. Берег, скользящий за левым бортом, казалось, совершенно вымер. Высокие серо-зеленые холмы венчались плоскими скалистыми выступами и спускались к морю серыми, иногда бурыми обрывами, то там, то сям поблескивали узкие песчаные пляжи. Между морем и горами шла главная дорога Каталонии, дорога из Барселоны во Францию. Хорнблауэр не сомневался, что рано или поздно кто-нибудь на ней появится. Десятью милями дальше от берега через горы шла другая дорога, но ясно было, что французы предпочтут хорошую. Хорнблауэр привел сюда корабль в том числе для того, чтобы согнать их с наезженной дороги в горы, где испанским партизанам — «герильеро» — легче будет атаковать обозы. Вероятно, для этого достаточно показаться на расстоянии выстрела от дороги, но он предпочел бы что-нибудь более впечатляющее. Ему не хотелось, чтобы его удар в правый фланг французов пришелся в пустоту.

Матросы мыли палубу и перебрасывались шутками. Приятно видеть их бодрыми, еще приятнее сознавать, что бодрость эта вызвана вчерашними успехами. Хорнблауэр возгордился было и тут же, в силу дурацкого своего характера, засомневался: сможет ли он и дальше поддерживать в команде дух. Беспросветная блокадная служба скоро вымотает всех. Нет, дудки, он не даст сомнениям себя одолеть. Пока все хорошо — все и дальше будет хорошо. С вероятностью сто против одного что-нибудь произойдет сегодня же. Удача еще от него не отвернулась. Сто против одного, нет, тысяча против одного, что сегодня выпадет новый случай отличиться.

На песчаном берегу виднелась кучка белых домишек. На пляже лежали днищами верх лодки — вероятно, рыбачьи, испанские. Не стоит высаживать десант — не исключено, что в деревне стоит французский гарнизон. Возможно, эти лодки снабжают рыбой солдат, но это не повод их трогать. Несчастным рыбакам надо на что-то жить, и если Хорнблауэр захватит или сожжет их лодки, то настроит против своей страны испанцев, единственных ее союзников.

На берегу что-то зашевелилось. К воде тащили лодку. Возможно, приключения начнутся прямо сейчас: у Хорнблауэра пробудилась надежда, даже уверенность. Он сунул подзорную трубу под мышку, отвернулся и заходил по палубе, словно бы в глубоком раздумье, опустив голову и сцепив руки за спиной.

— От берега отошла лодка, сэр, — доложил Буш, козыряя.

— Да, — беспечно отвечал Хорнблауэр.

Он решил не выказывать и тени волнения. Надо надеяться, офицеры не знают, что он видел лодку, и теперь дивятся его выдержке — он ведь даже не повернулся в ее сторону.

— К нам гребут, сэр, — сказал Буш.

— Да, — бросил Хорнблауэр с тем же равнодушием.

Лодка подойдет не раньше чем через десять минут — а направляется она явно к ним, иначе зачем было бы так поспешно спускать ее на воду при появлении «Сатерленда»? Пусть другие офицеры разглядывают ее в подзорные трубы и наперебой гадают, что же нужно испанцам. Капитан Хорнблауэр будет шагать по палубе с олимпийским спокойствием, ожидая, когда с лодки подадут голос. Лишь он один знает, как колотится его сердце. Вот оно: пронзительный окрик разнесся над искрящейся водой.

— Положите корабль в дрейф, мистер Буш, — сказал Хорнблауэр и с напускным безразличием подошел к борту, чтобы ответить.

Кричали на каталанском: испанский Хорнблауэр выучил в плену, спасаясь от безделья, французский помнил хорошо, поэтому сейчас понимал, что ему говорят, но отвечать на том же языке не мог. Он крикнул по-испански:

— Да! Это британский корабль!

На звук его голоса в лодке кто-то встал. Гребли каталонцы в оборванной гражданской одежде, этот же человек был в сверкающем желтом мундире и высокой шапке с плюмажем.

— Вы позволите мне подняться на борт? — закричал он по-испански. — У меня хорошие новости.

— С превеликим удовольствием, — сказал Хорнблауэр, потом Бушу: — На борт поднимется испанский офицер. Проследите, чтобы его встретили соответственно.

В человеке, который поднялся на борт под свист дудок и с любопытством разглядывал почетный караул, легко угадывался гусар. На нем был желтый доломан с черной оторочкой, желтые же штаны, отделанные широким золотым шнуром, на ногах — высокие сапоги с золотыми кисточками спереди и звенящими шпорами сзади. Серебристо-серый ментик с черной каракулевой опушкой переброшен через плечо, рукава болтаются, на голове гусарский кивер из черного каракуля со страусовым пером и серебристо-черным этишкетом, золотой шнур пропущен под подбородком, широкая изогнутая сабля волочится по палубе. Испанец подошел к Хорнблауэру.

— Добрый день, сударь, — произнес он с улыбкой. — Я Хосе Гонсалес де Вильена-и-Данвила, полковник гусарского Оливенского полка его католического величества.

— Очень приятно, — сказал Хорнблауэр. — Я Горацио Хорнблауэр, капитан корабля его британского величества «Сатерленд».

— Ваше превосходительство прекрасно говорит по-испански.

— Вы очень любезны, ваше превосходительство. Я счастлив, что знание испанского языка позволяет мне приветствовать вас на борту моего корабля.

— Благодарю. Нелегко было до вас добраться. Пришлось употребить власть, а не то рыбаки отказывались меня везти. Они боятся, как бы до французов не дошло, что они вступали в сношения с англичанами. Поглядите! Как они улепетывают!

— Значит, сейчас в деревне нет французского гарнизона?

— Нет, сударь.

При этих словах на лице Вильены появилось странное выражение. Он был молод, с оттопыренной габсбургской губой (возможно, это значит, что высоким званием он обязан грешку матери или бабки), кожа светлая, хотя и загорелая. Карие с тяжелыми веками глаза неотрывно следили за Хорнблауэром и словно молили не продолжать разговор, но Хорнблауэр оставил мольбу без внимания — ему нужна была информация.

— А испанские войска здесь? — спросил он.

— Нет, сударь.

— А ваше подразделение, полковник?

— Его здесь нет, капитан, — отвечал Вильена и торопливо продолжил: — Новость, которую я должен вам со-

общить, такая. Французская армия — следовало бы сказать, итальянская армия — идем маршем по побережью в лиге к северу от нас.

— Ба! — сказал Хорнблауэр.

Новость действительно хорошая.

— Вчера вечером они были в Мальграте и двигались к Барселоне. Десять тысяч человек — итальянская армия под командованием Пино и Лекки.

— Откуда вы знаете?

— Знать это — мой долг как офицера легкой кавалерии, — с достоинством отвечал Вильена.

Хорнблауэр глядел на него и размышлял. Уже три года как бонапартистские войска заняли Каталонию. Они побеждали испанцев на поле боя, брали их крепости после упорной осады, но не покорили страну и были сейчас не ближе к своей цели, чем в день, когда предательски вторглись в ее пределы. Каталонцы не могли разбить в сражении даже тот разношерстный сброд, который направлял против них Бонапарт — итальянцев, немцев, швейцарцев, поляков, отбросы французской армии, — и все же дрались отчаянно, черпая новые силы с каждого незавоеванного клочка своей земли, выматывали противника беспрестанными передислокациями. Однако это не объясняет, каким образом гусарский полковник оказался один-одинешенек на территории, которую вроде бы контролируют французы.

— Как вы тут очутились? — резко осведомился Хорнблауэр.

— Во исполнение воинского долга, сударь, — важно ответил Вильена.

— Очень сожалею, но я так и не понял, дон Хосе. Где ваш полк?

— Капитан...

— Где ваш полк?

— Не знаю, сударь.

Вся спесь слетела с молодого гусара. Он смотрел на Хорнблауэра большими молящими глазами, не в силах сразу сознаться в своем позоре.

— Когда вы видели его в последний раз?

— В Тордере. Мы... мы сражались с Пино.

— И были разбиты?

— Да. Вчера. Они шли маршем из Жероны, и мы спустились с гор, чтобы отрезать им путь. Их кирасиры размели нас. Моя... моя лошадь пала здесь, в Аренс-де-Мар.

Слушая эти жалкие слова, Хорнблауэр в интуитивном озарении представил все: нерегулярные части бегут по горному склону, яростная контратака, беспорядочное отступление. Сейчас в каждой деревушке на мили вокруг полным-полно беглецов. У Вильены лошадь была получше, он ускакал дальше всех и, если бы не загнал ее до смерти, мчался бы, наверное, и сейчас. Чтобы собрать на побережье десять тысяч человек, французам пришлось оставить деревушки, вот почему Вильена не попал в плен, хоть и был между французской армией и Барселоной, местом ее основной дислокации.

Теперь, когда Хорнблауэр все понял, не стоило заострять внимание на злоключениях Вильены, напротив, для пользы дела стоило его ободрить.

— Поражение рано или поздно выпадает на долю каждого воина. Будем надеяться, сегодня мы с вами отомстим за вчерашнее.

— К отмщению взывает не только вчерашнее, — сказал Вильена.

Он сунул руку во внутренний карман и вытащил сложенный лист бумаги, развернул — это оказалась отпечатанная прокламация — и протянул Хорнблауэру. Тот проглядел текст и, насколько позволяло знание каталанского, прочел. Начиналась она так: «Мы, Лучано Гаэтано Пино, кавалер ордена Почетного легиона, кавалер Ордена железной короны Ломбардии, дивизионный генерал, командующий силами его императорского и королевского величества Наполеона, императора Французского и короля Итальянского, в провинции Жерона, сим постановляем...» Дальше шли пронумерованные параграфы, в которых перечислялись все мыслимые преступления против его императорского и королевского величества. Хорнблауэр быстро пробежал по листку глазами. Каждый параграф кончался словами: «будет расстрелян», «смертной казни», «будет повешен», «будет сожжена» — с некоторым облегчением Хорнблауэр обнаружил, что последнее относится к деревням, где дают пристанище мятежникам.

— Они сожгли все деревни в горах, — говорил Вильена. — Вдоль дороги от Жероны до Фигераса — десять лиг, сударь — стоят виселицы, и на каждой качается труп.

— Ужасно! — сказал Хорнблауэр, но разговор поддерживать не стал. Только позволь испанцу заговорить о бедах своей страны, и его не остановишь. — Вы сказали, этот Пино идет маршем вдоль берега?

— Да.

— Есть ли возле берега достаточно глубокое место?

Испанец возмущенно поднял брови, и Хорнблауэр понял — едва ли справедливо спрашивать гусарского полковника о промерах глубин.

— Есть ли там батареи, защищающие дорогу со стороны моря? — спросил он.

— О да, — отвечал Вильена. — Я слышал, что есть.

— Где именно?

— Точно не знаю, сударь.

Хорнблауэр понял, что точных сведений от Вильены не получит, — да собственно, чего и ждать от испанского кавалериста?

— Хорошо, посмотрим на месте, — сказал он.

XIV

Хорнблауэр кое-как отвязался от Вильены — молодой полковник, признавшись в своем поражении, впал в истерическую говорливость и самым жалким образом таскался за капитаном по пятам, опасаясь потерять его из виду. Чтобы не вертелся под ногами, Хорнблауэр устроил его на стуле у гакаборта, сам же удалился в каюту, где вновь принялся изучать карты. Батареи были отмечены — вероятно, испанцы установили их во время войны с Англией для защиты каботажных перевозок, и потому укрепляли главным образом мысы, где берег приглубый и имеется укрытие для кораблей в виде бухты, пригодной для якорной стоянки. Никому и в голову не приходило, что с моря можно обстрелять идущее вдоль берега войско, поэтому отрезки берега, лишенные таких бухт — например, двадцать миль между Мальгратом и Аренс-де-Маром, — вполне могли остаться без прикрытия. После Кокрейна, который был здесь на «Императрице» больше года назад, ни один британский корабль не тревожил французов в этих краях, и те, за другими заботами, вряд ли помышляли о возможных, но пока не насущных угрозах. Весьма вероятно, они не потрудились защитить дорогу, да и не хватило бы у них тяжелых пушек и опытных артиллеристов, чтобы взять под защиту все побережье. Теперь оставалось отыскать место не менее чем в полутора милях от ближайшей батареи и достаточно глубокое, чтобы подойти к берегу на расстояние пушечного выстрела. Одну батарею они уже миновали — кстати, она отмечена на карте, других на этом отрезке не показано. Вряд ли с тех пор как обновляли карты, французы тут что-нибудь построили. Если колонна Пино вышла из Мальграта на заре, «Сатерленд» вот-вот с ней поравняется. Хорнблауэр отметил на карте место, которое интуитивно приглянулось ему больше других, и выбежал на палубу, чтобы направить «Сатерленд» туда.

Вильена при виде капитана поспешно вскочил со стула и зазвенел шпорами навстречу, но Хорнблауэр притворился, будто не замечает его, всецело поглощенный разговором с Бушем.

— Пожалуйста, зарядите и выдвиньте пушки, мистер Буш.

— Есть, сэр, — отвечал Буш.

Он смотрел на капитана с мольбой. Последний приказ, означавший, что вскоре предстоит бой, переполнил чашу его любопытства. К тому же на борту этот полковник-даго. Зачем они здесь, что Хорнблауэр замыслил — Буш не мог даже и гадать. Хорнблауэр всегда держал свои планы при себе, чтобы в случае чего подчиненные не могли оценить истинных размеров провала. Временами Буш чувствовал, что скрытность капитана укорачивает ему, Бушу, жизнь. Он был приятно изумлен, когда Хорнблауэр снизошел до разъяснений: он так никогда и не узнал, что внезапная откровенность была лишь способом отвязаться от Вильены.

— По этой дороге должна пройти французская колонна, — сказал Хорнблауэр. — Посмотрим, не удастся ли нам пальнуть по ней разок-другой.

— Есть, сэр.

— Поставьте на руслене надежного матроса с лотом.

— Есть, сэр.

Теперь, когда Хорнблауэр желал поговорить, у него не получалось — почти три года он пресекал любые лишние разговоры, и действительно отвык; не способствовали беседе и неуклонные «Есть, сэр» Буша. Чтобы не говорить с Вильеной, Хорнблауэр припал глазом к подзорной трубе и сосредоточенно уставился на берег. Здесь крутые зеленовато-серые склоны подходили почти к самой воде, у подножия вилась дорога, то поднимаясь на сотню футов, то спускаясь до десяти.

На дороге впереди Хорнблауэр приметил черную точку. Вгляделся, дал глазу передохнуть и посмотрел снова. По направлению к ним ехал всадник. Через мгновение Хорнблауэр увидел чуть дальше какое-то поблескивание и, присмотревшись, различил кавалерийский отряд — вероятно, авангард армии Пино. Вскоре «Сатерленд» окажется напротив него. Хорнблауэр прикинул расстояние от корабля до берега. Полмили, может, чуть больше — уже хорошо, но он предпочел бы подойти еще ближе.

— Отметка девять! — прокричал лотовый.

Здесь можно будет пройти ближе к берегу, если, преследуя Пино на противоположном галсе, они досюда доберутся. Стоит запомнить. «Сатерленд» двигался навстречу приближающемуся войску, Хорнблауэр примечал ориентиры на берегу и соответствующие им замеры глубин. Он уже отчетливо видел кавалерийский эскадрон: всадники внимательно озирались по сторонам, сабли держали наголо. Не удивительно: здесь, в Испании, за каждым камнем укрывается партизан, готовый застрелить хотя бы одного врага.

На некотором отдалении от передового отряда Хорнблауэр различил кавалерийское подразделение подлиннее, а за ним длинную-предлинную череду белых пятнышек, которая поначалу озадачила его странным сходством с перебирающей лапками сороконожкой. Тут он улыбнулся. То были белые штаны идущей в ногу пехотной колонны: по какому-то капризу оптики синие мундиры еще сливались с серым фоном.

— И десять с половиной! — кричал лотовый.

Здесь «Сатерленд» можно подвести ближе к берегу, но пока лучше оставаться на полвыстрела — с такого расстояния корабль не будет казаться угрожающим. Хорнблауэр напряженно размышлял, как воспримет неприятель появление «Сатерленда» — довольно многое можно было заключить по тому, что передовые кавалеристы, которые как раз поравнялись с кораблем, приветственно махали шляпами. Ни Пино, ни его людей не обстреливали с моря, им пока было невдомек, какова разрушительная мощь хорошо направленного бортового залпа. Красавец-корабль под пирамидой парусов — зрелище для них новое. Поставь перед ними войско, и они сразу оценят его возможности, но то войско, не корабль. Хорнблауэр читал, что бонапартистские генералы не дорожат жизнью солдат. Чтобы избежать обстрела со стороны «Сатерленда», Пино пришлось бы немало потрудиться: шагать обратно в Мальграт, выбираться на горную дорогу либо идти к ней прямиком через горы. Он где-то в конце этой длинной колонны, разглядывает «Сатерленд» в подзорную трубу. Вероятно, он предпочел идти вперед, рассудив, что «Сатерленд» большого ущерба не причинит. В таком случае он сильно просчитался.

Теперь с кораблем поравнялся второй кавалерийский отряд. Он вспыхивал и переливался на солнце, словно огненная река.

— Кирасиры! — вскричал Вильена рядом с Хорнблауэром. Он размахивал руками. — Почему вы не стреляете, капитан?

Хорнблауэр сообразил, что Вильена уже с полчаса что-то вещает по-испански — он все пропустил мимо ушей. Он не будет обстреливать кавалерию, которая быстро ускачет прочь. Первый, самый внезапный бортовой залп надо поберечь для медлительной пехоты.

— Мистер Буш, отправьте людей к пушкам, — приказал он, вновь начисто забыв про Вильену, потом обратился к рулевому: — Один румб вправо.

— И девять с половиной! — крикнул лотовый.

«Сатерленд» двинулся к берегу.

— Мистер Джерард! — крикнул Хорнблауэр. — Направьте пушки на дорогу. Стрелять будете, когда я подам сигнал.

За кирасирами следовала полевая артиллерия — шестифунтовые пушки подпрыгивали и раскачивались из стороны в сторону, доказывая, как плоха одна из лучших испанских дорог. Ехавшие на передках канониры дружелюбно махали приближающемуся кораблю.

— Отметка шесть! — Это лотовый. Дальше идти опасно.

— Один румб вправо! Так держать!

Корабль неторопливо полз по воде, команда стояла у пушек не шевелясь, молча, лишь слабо и нежно пел в такелаже ветер, да плескали о борт волны. Теперь мимо них проходила пехотная колонна, длинная плотная масса солдат в синих мундирах и белых рейтузах. В пыльной дымке они казались какими-то ненастоящими. Над синими мундирами белела полоса лиц — все как один смотрели на изящный кораблик, ползущий по эмалево-синему морю. Приятное разнообразие в утомительном переходе на войне, которая из таких переходов главным образом и состоит. Джерард пока не приказал менять угол подъема пушек — на протяжении почти мили дорога шла ровно, футах в пятидесяти над морем. Хорнблауэр поднес к губам серебряный свисток. Джерард это видел: не успел Хорнблауэр дунуть, как центральная пушка главной палубы изрыгнула огонь, следом оглушительно выпалили остальные. В горьком белом дыму «Сатерленд» накренился от отдачи.

— Господи, поглядите только! — воскликнул Буш.

Залп — сорок одно ядро из пушек и каронад — накрыл дорогу от обочины до обочины. На протяжении пятидесяти ярдов колонна зияла дырой. Целые шеренги были сметены; уцелевшие солдаты стояли в полной растерянности. Взревели пушечные катки — это вновь заряжали пушки. «Сатерленд» содрогнулся от второго залпа. В колонне образовалась новая брешь, сразу за первой.

— Задай им еще, ребята! — орал Джерард.

Колонна отупело замерла в ожидании следующего бортового залпа; пороховой дым несло к берегу, и он кольцами повисал между камней.

— И четверть до девяти! — кричал лотовый.

Здесь глубже, можно ближе подойти к берегу. Видя, как неумолимо надвигается корабль, солдаты побежали в панике.

— Картечь, мистер Джерард! — прокричал Хорнблауэр. — Один румб вправо.

Еще дальше колонна застыла на месте. Стоящие и бегущие образовали затор, кишащую человеческую массу. «Сатерленд» по приказу капитана неуклонно надвигался на них, затем остановился, навел пушки, и шквал картечи метлой прошелся по дороге.

— Разрази меня гром! — орал Буш. — Что, попробовали?

Вильена прищелкивал пальцами и приплясывал на палубе, как клоун, ментик развевался, перья трепыхались, шпоры звенели.

— Глубже семи! — прокричал лотовый, но Хорнблауэр различил у кромки воды что-то вроде маленького острого мысика, почти наверняка означающего, что на его продолжении в море торчит зазубренный риф.

— К повороту оверштаг! — прогремел Хорнблауэр.

Мозг работал лихорадочно быстро — глубина большая, но мысик явно указывает на риф — скалистый гребень, не размытый морем, подводный капкан, в который «Сатерленд» может угодить между двумя бросками лота. Он велел привести корабль к ветру и отойти от берега. За кормой был виден участок берега, который они только что обстреляли. Груды убитых и раненых, между которыми стоят в растерянности два-три человека, кто-то склонился над товарищами, но большинство уцелевших уже бежит по крутым склонам прочь от дороги, хорошо различимые в белых рейтузах на фоне травы и камней.

Хорнблауэр внимательно разглядывал берег. За мысиком должно быть опять глубоко.

— Мы снова повернем оверштаг, мистер Буш, — сказал он.

При виде надвигающегося «Сатерленда» пехота врассыпную побежала по склону вверх, но артиллерия не могла последовать ее примеру. На какое-то время погонщики и прислуга растерялись, потом офицер с развевающимся плюмажем подскакал галопом и замахал руками. Погонщики, понукая лошадей, развернули орудия поперек дороги, канониры отцепляли хоботы лафетов и наклонялись над орудиями, готовя их к бою. Однако может ли полевая девятифунтовая батарея противостоять бортовому залпу с «Сатерленда»?

— Поберегите огонь для батареи, мистер Джерард! — закричал Хорнблауэр.

Джерард махнул шляпой, показывая, что понял. «Сатерленд» тяжело и медленно повернул. Одна пушка выстрелила слишком рано — Хорнблауэр с удовлетворением отметил, что Джерард видел и запомнил провинившихся. И вот дружно грянул бортовой залп, как раз когда итальянские артиллеристы прибойниками досылали картузы. Клубы дыма закрыли берег; они еще не рассеялись, а пара расчетов поопытнее уже вновь с грохотом выдвигали пушки. Когда дым развеялся на ветру, видна стала изрядно побитая батарея. У одной пушки было разбито колесо, она, как пьяная, осела набок; другой ядро угодило в самое жерло, она слетела с лафета и стояла теперь торчком. Вокруг пушек лежали убитые, живые стояли, ошалев от обрушившегося на них железного шквала. Верховой офицер спрыгнул с лошади и подбежал к ближайшей пушке. Он замахал руками, созывая людей, чтобы хоть одним выстрелом да ответить грозному неприятелю.

— Всыпь им еще, ребята! — закричал Джерард, и «Сатерленд» вновь накренился от отдачи.

К тому времени как дым рассеялся, батарея осталась позади. Еще одна пушка слетела с лафета, ни одной живой души — по крайней мере, ни одного человека на ногах — возле нее не было. «Сатерленд» тем временем поравнялся со следующей пехотной колонной — солдаты в панике разбегались с дороги. Хорнблауэр наблюдал, как они рассеиваются по склонам. Он знал, что для армии это не менее губительно, чем потери в живой силе, и не стал бы обстреливать несчастных, если бы не матросы. Тех куда больше порадуют зримые потери среди врагов, чем моральный ущерб, которого они не в состоянии уразуметь.

На холме над дорогой Хорнблауэр различил группу всадников в разноцветных, блещущих золотом мундирах и киверах с разнообразными плюмажами. Должно быть, это штаб — неплохая цель в отсутствие идущих правильным строем войск. Хорнблауэр показал Джерарду на всадников. Тот согласно махнул рукой. Двое мичманов побежали вниз, показать новую цель офицерам на нижней орудийной палубе. Джерард в рупор приказал канонирам визировать цель, сам склонился над ближайшей пушкой, сощурился, потом отступил от пушки и дернул шнур. Следом выпалили остальные.

Ядра настигли всадников. Кони и люди падали — кажется, в седле не усидел никто. Разрушение было настолько всеобщим, что Хорнблауэр догадался: сразу под почвой скала, и выбитый ядрами щебень полетел, как картечь. Он гадал, был ли среди всадников Пино, и с удивлением обнаружил, что желает Пино остаться без обеих ног. Он напомнил себе, что сегодня утром впервые услышал это имя, и устыдился слепой ненависти к человеку, лично ему ничем не досадившему.

Какой-то офицер чуть дальше на дороге не позволил своим людям разбежаться. Мало пользы принесла им дисциплина. Хорнблауэр развернул корабль так, чтобы пушки указывали на дорогу, и новым бортовым залпом смял упорный взвод. В клубах дыма он услышал, как что-то ударило в поручень под его рукой. То была ружейная пуля — кто-то сумел попасть в корабль издалека, ярдов с двухсот, не меньше. Пуля ударила на излете — она наполовину ушла в дерево и не сплющилась. Хорнблауэр коснулся ее — пуля была еще совсем горячей. Он обмотал пальцы носовым платком, вытащил ее и в задумчивости несколько раз подбросил на ладони. Ему вспомнилось: мальчиком он точно так же подбрасывал на ладони горячие каштаны.

Дым рассеялся, и Хорнблауэр увидел результат: скошенные шеренги, груды убитых; ему показалось, что до корабля доносятся даже крики раненых. Он порадовался, что войска разбежались и стрелять больше не по кому: его мутило от этой кровавой бойни. Впрочем, другие не испытывали подобных чувств. Буш все так же чертыхался от возбуждения, Вильена по-прежнему прыгал на палубе рядом с ним. Колонна скоро кончится — от авангарда до арьергарда войско не могло растянуться больше чем на восемь-девять миль. Тут Хорнблауэр увидел, что дальше дорога забита фургонами — вероятно, то был армейский обоз, — и ему пришло в голову новое соображение. Приземистые возы, запряженные четверкой лошадей, это зарядные ящики, дальше идут деревенские колымаги, запряженные шестью невозмутимыми бурыми мулами каждая, рядом, на всю ширину дороги, еще мулы, несоразмерно маленькие под огромной поклажей. Людей рядом с ними не было — погонщики, побросав животных, едва различимыми пятнышками карабкались по склонам.

«Очерки современной войны в Испании», которые Хорнблауэр прилежно штудировал, особо подчеркивали, как трудно в Испании с гужевым транспортом. Мул или лошадь ценятся так же — да нет, гораздо больше, чем солдат. Хорнблауэр сурово нахмурился.

— Мистер Джерард! — крикнул он. — Зарядите картечью. Надо убить этих вьючных животных.

При этих словах матросы у пушек тихонько взвыли. Сентиментальные глупцы — они кричали «ура», убивая людей, но не хотят лишать жизни животных. Только дай такую возможность, и половина сознательно промахнется.

— Стрельба на меткость. По одной пушке! — крикнул Хорнблауэр Джерарду.

Животные, в отличие от хозяев, будут покорно стоять, и канониры не смогут промахнуться. «Сатерленд» медленно дрейфовал вдоль берега, пушки палили одна за другой, выбрасывая по несколько пригоршней картечи каждая. Лошади и мулы падали, бились, брыкали ногами. Два вьючных мула, обезумев от страха, исхитрились вспрыгнуть на обрыв у дороги и теперь, роняя поклажу, лезли по склону вверх. Шесть запряженных в телегу волов были убиты разом. Удерживаемые хомутами, они стояли на животах и коленях, уложив на землю головы и вытянув шеи, как на молитве. Матросы, видя результат удачного выстрела, горестно зашушукались.

— Молчать! — заорал Джерард, который понимал важность происходящего.

Буш потянул капитана за рукав — ему потребовалась немалая решимость, чтобы отвлечь Хорнблауэра от размышлений и предложить:

— Прошу вас, сэр. Если бы я высадился на берег с командой баркаса, я бы поджег эти фургоны.

Хорнблауэр мотнул головой. В этом весь Буш — не видит дальше своего носа. Враг бежит от обстрела, на который не может ответить, но десанту, окажись он на берегу, даст яростный отпор — тем более яростный, чем больше недавние потери. Одно дело — неожиданно штурмовать батарею с пятьюдесятью артиллеристами, другое — отправлять небольшой отряд против десятитысячной армии. Слова, которыми Хорнблауэр попытался смягчить отказ, потонули в грохоте шканцевой каронады, а когда он вновь открыл рот, чтобы продолжить, его отвлекло то, что он увидел на берегу.

С повозки, которой предстояло стать следующей жертвой, кто-то размахивал носовым платком. Хорнблауэр поглядел в подзорную трубу: махал офицер в синем мундире с красными эполетами. Ему бы следовало знать, что капитуляция, которая не может быть осуществлена, не принимается. Пусть не ждет пощады. Офицер, кажется, это понял. Он шагнул назад и, по-прежнему размахивая платком, приподнял кого-то, лежавшего у его ног. Хорнблауэр видел, как этот кто-то обвис у офицера на руках: голова и одна рука у него были замотаны белыми тряпками. Хорнблауэр вдруг понял, что в повозке — больные и раненые. Офицер с носовым платком — должно быть, врач.

— Прекратить огонь! — заорал Хорнблауэр и пронзительно дунул в свисток.

Он опоздал, пушка успела выстрелить, но, к счастью, плохо нацеленное ядро угодило в обрыв, подняв облако пыли. Глупо — щадить лошадей из страха попасть в раненых, которые могут со временем выздороветь и встать в строй, но таковы военные соглашения, нелепые, как сама война.

Арьергард, следовавший за обозом, уже разбежался — не стоит тратить на него ядра и порох. Пора вновь побеспокоить главную колонну.

— Поверните оверштаг, мистер Буш, — сказал Хорнблауэр. — Мы еще раз пройдем вдоль берега.

На противоположном курсе все было не так просто. Прежде ветер дул «Сатерленду» с раковины, теперь — со скулы; чтобы идти параллельно берегу, приходилось держаться в самый крутой бейдевинд. Огибая небольшие мыски, надо было всякий раз поворачивать оверштаг, кроме того, ветер гнал корабль к берегу, создавая большую опасность и требуя соответствующей бдительности. Однако надо было сделать все возможное, чтобы итальянцы навсегда и думать забыли про эту дорогу. Буш, судя по яростному блеску в глазах, ликовал, что капитан упорно продолжает начатое, а не приказал идти прочь, лишь раз продефилировав вдоль колонны; матросы у пушек правого борта, наклоняясь над простаивавшими доселе орудиями, в предвкушении пальбы довольно потирали руки.

Прошло некоторое время, прежде чем «Сатерленд» повернул оверштаг и обратил к дороге орудия правого борта. Хорнблауэр удовлетворенно отметил, что выстроившиеся было полки при этой угрозе вновь рассыпались по склонам. Однако так круто к ветру «Сатерленд» едва делал три узла относительно берега: прибавив шагу, войско может идти с той же скоростью, оставаясь в безопасности. Скоро итальянцы это поймут. Надо успеть, что возможно.

— Мистер Джерард! — прокричал Хорнблауэр.

Джерард подбежал на зов и запрокинул голову, чтобы выслушать приказ со шканцев.

— Стреляйте одиночными выстрелами по достаточно большим, на ваше усмотрение, скоплениям людей. Следите, чтобы целили как следует.

— Есть, сэр.

Человек сто итальянцев как раз сгрудились на противоположном склоне. Джерард сам навел пушку и оценил расстояние, присел на корточки, чтобы поглядеть в прицел поднятой на максимальный угол пушки. Ядро ударило в скалу перед солдатами и рикошетом отлетело прямо в них, как бы водоворот образовался в толпе, которая тут же отпрянула в разные стороны, оставив лежать две фигурки в белых штанах. Команда радостно завопила. Джерард послал за артиллеристом Маршем, чтобы и тот принял участие в высокоточной стрельбе; ядро из пушки, которую направил Марш, убило нескольких солдат из следующей группы, над которой поблескивало что-то на древке — Хорнблауэр, напрягая вооруженный подзорной трубой глаз, решил, что это имперский орел, один из тех, которых так часто упоминают бонапартистские реляции и так часто высмеивают британские карикатуристы.

«Сатерленд» медленно двигался вдоль берега, раз за разом гремели орудия правого борта. Команда радостно вопила всякий раз, как ядро настигало кого-нибудь из карабкающихся по склону лилипутов; после неудачного выстрела наступало гробовое молчание. Канонирам полезно своими глазами убедиться, как важно метко целить и точно оценивать расстояние. Обычно от них требовалось лишь перезаряжать и стрелять как можно чаще — когда линейные корабли сходятся борт к борту, меткость уже не нужна.

Теперь, когда его не оглушал грохот бортового залпа, Хорнблауэр слышал после каждого выстрела раскатистое горное эхо, странно искаженное нагретым воздухом. А жарило и впрямь нестерпимо. Наблюдая, как матросы по очереди жадно пьют из лагуна, Хорнблауэр гадал, страдают ли от жажды несчастные итальянцы на каменистых склонах. Сам он пить не хотел — слишком напряженно прислушивался к выкрикам лотового, слишком занят был наблюдениями за стрельбой, за берегом, за ветром.

Кто бы ни командовал сильно побитой полевой батарей дальше на дороге, он свое дело знал. Мичман Сэвидж с фор-салинга криком привлек внимание Хорнблауэра к тому, что три уцелевшие пушки развернули диагонально к дороге и направили на корабль. Они выстрелили в тот самый миг, когда Хорнблауэр навел на них подзорную трубу. Ззз-ззз-ззз. Одно ядро пролетело у него над головой, и в грот-марселе «Сатерленда» образовалась дыра. В то же время треск на баке возвестил, что еще одно ядро попало в цель. Пройдет минут десять, пока «Сатерленд» сможет навести на батарею бортовые пушки.

— Мистер Марш, — сказал Хорнблауэр. — Направьте на батарею погонные орудия правого борта.

— Есть, сэр.

— Продолжайте стрельбу на меткость, мистер Джерард.

— Есть, сэр.

Люди должны превратиться в боевые машины, и для этого, кроме всего прочего, невероятно полезно упражняться в меткости под вражеским обстрелом — никто лучше Хорнблауэра не знал, как велика разница, стреляют по тебе или нет. Он подумал даже, что небольшие потери — один-два человека — в таких обстоятельствах пошли бы команде на пользу, и ужаснулся, поняв: он легкомысленно обрекает на смерть или увечье кого-то из своих людей, а может, и себя самого. Нестерпимо легко абстрагироваться от реальной крови и смерти, даже когда воюешь сам. Его матросам кажется, что по склонам бегут в синих мундирах не усталые изнуренные жарою и жаждой люди, что на дороге лежат не изувеченные тела бывших отцов и возлюбленных, а что-то вроде оловянных солдатиков. Невероятно, но сейчас, изнывая от жары, в грохоте пушек, Хорнблауэр вдруг вспомнил леди Барбару и ее сапфировый кулон, вспомнил Марию, уже, наверное, подурневшую от беременности. Он тут же отогнал эти мысли — пока они его занимали, батарея выстрелила еще раз, но результата он не заметил.

Погонные орудия палили по батарее — огонь заставит итальянских канониров понервничать. Тем временем бортовым пушкам стрелять было уже не по кому — солдаты рассеялись по холмам, некоторые взобрались на самую вершину, черные фигурки на фоне синего неба. Офицерам нелегко будет их собрать, и всякий, кто пожелает дезертировать — а «Очерки современной войны в Испании» особо подчеркивали склонность к этому итальянцев, — получит сегодня отличную возможность.

Треск и вскрик под палубой возвестили, что команда потеряла по крайней мере одного из тех двух-трех человек, которыми капитан готов был пожертвовать. Вскрик был пронзительный, похоже, убило или ранило кого-то из корабельных юнг; Хорнблауэр, сжав зубы, прикидывал, как скоро смогут выстрелить его пушки. За это время неприятель успеет дать еще два залпа; самую малость трудновато их дожидаться. Вот оно: ядра пронеслись над головой, жужжа, словно гигантский рой спешащих за добычей пчел. Очевидно, канониры недооценили, как быстро приближается корабль. С треском лопнул грот-стень-фордун, Буш махнул рукой, и матросы полезли наложить на него сплесень. Сейчас «Сатерленду» придется развернуться, чтобы обойти мысик и подводный риф.

— Мистер Джерард! Сейчас я поверну оверштаг. Приготовьтесь обстрелять батарею, как только сможете навести пушки.

— Есть, сэр.

Буш послал матросов к брасам. Хукер на баке расставлял людей у шкотов кливера. Руль положили на борт, «Сатерленд» красиво привелся к ветру. Хорнблауэр в подзорную трубу наблюдал за полевой батареей — до нее оставалось меньше четверти мили. Канониры-итальянцы видели, как «Сатерленд» разворачивается, они видели это уже не раз и знали, что сейчас последует шквал ядер. Сперва один отбежал от пушек, потом еще несколько опрометью бросились в горы. Другие упали ничком, только офицер остался стоять, ярясь и размахивая руками. «Сатерленд» накренился от отдачи, клубы горького дыма скрыли от глаз батарею. Хорнблауэр не увидел ее и после того, как дым рассеялся, только обломки — разбитые колеса, торчащие вверх оси, разбросанные по земле пушки. Хорошо нацеленный бортовой залп, матросы — молодцы, даром что много новичков.

За рифом Хорнблауэр вновь подвел корабль к берегу. Впереди на дороге можно было видеть хвост пехотной колонны; пока «Сатерленд» разбирался с арьергардом, передовые полки успели выстроиться. Теперь они быстро шли по дороге, окутанные тяжелыми облаками пыли.

— Мистер Буш! Попробуйте их догнать.

— Есть, сэр.

Но «Сатерленд» в бейдевинд еле полз, и всякий раз, как он почти настигал колонну, приходилось огибать очередной мысик. Иногда он подходил к спешащей колонне так близко, что Хорнблауэр в подзорную трубу видел над мундирами белые лица солдат, когда те оборачивались через плечо. Многие отставали — одни сидели на обочине, уронив голову на руки, другие в изнеможении опирались на ружья, не сводя глаз с проходящего мимо

корабля, иные ничком лежали там, где подкосили их жара и усталость.

Буш рвал и метал, бегая по кораблю в тщетных попытках выжать из него еще немного скорости. Он послал всех незанятых перетаскивать сетки с ядрами на наветренную сторону, обрасопил паруса с невероятной точностью и ругался на чем свет стоит всякий раз, как расстояние от корабля до колонны увеличивалось.

Однако Хорнблауэр был доволен. Пехотный полк, который понес большие потери, потом, преследуемый неумолимым врагом, несколько миль бежал в панике, десятками теряя изнемогших людей, получит такой мощный удар по самоуважению, что ослабеет, как после недели боевых действий. Еще до того, как они приблизились к береговой батарее в Аренс-де-Мар, он приказал прекратить преследование — не хотел, чтобы бегущий неприятель приободрился, видя, как большие пушки заставляют «Сатерленд» повернуть, огибать же батарею было бы слишком долго, ночь спустилась бы прежде, чем они вернулись к берегу.

— Очень хорошо, мистер Буш. Положите корабль на правый галс и закрепите пушки.

«Сатерленд» встал на ровный киль и вновь накренился уже на другом галсе.

— Трижды ура капитану! — крикнул кто-то на главной палубе — если бы Хорнблауэр знал кто, приказал бы наказать. Он пытался призвать к тишине, но голос его тонул в ликующих возгласах. Матросы орали, пока не выдохлись, широкими улыбками приветствуя капитана, который за последние три дня привел их к победе пять раз. Буш тоже улыбался, и Джерард. Малыш Лонгли приплясывал и вопил, напрочь позабыв про офицерское достоинство. Позже, возможно, Хорнблауэр порадуется, вспоминая эти чистосердечные изъявления любви, но сейчас они его только раздражали.

Когда возгласы стихли, слышен стал голос лотового.

— Дна нет! Дна нет!

Он по-прежнему исполнял, что велено, и продолжал бы бросать лот, пока ему не скажут отдохнуть — живой пример флотской дисциплины.

— Немедленно прикажите ему уйти с русленя, мистер Буш! — бросил Хорнблауэр, раздосадованный таким упущением.

— Есть, сэр, — отвечал Буш, убитый своей оплошностью.

Солнце тонуло в багрянце над горами Испании; от буйства красок у Хорнблауэра перехватило дыхание. Теперь, после нескольких часов напряженной умственной работы наступила реакция — он отупел настолько, что даже не ощущал усталости. Однако надо подождать, пока доложит доктор. Сегодня кого-то убило или ранило — Хорнблауэр явственно помнил треск и крики, последовавшие за выстрелом полевой батареи.

Кают-компанейский вестовой подошел и козырнул Джерарду.

— Прошу прощения, сэр, — сказал он. — Том Криб убит.

— Что?

— Убит, сэр. Ядром оторвало башку. Страсть смотреть, сэр.

— Что ты сказал? — вмешался Хорнблауэр. Он не помнил никого по имени Том Криб, кроме чемпиона Англии в тяжелом весе, и не понимал, почему о потерях докладывает кают-компанейский вестовой лейтенанту.

— Том Криб убит, сэр, — пояснил вестовой. — А миссис Сиддонс ранило щепкой в... в задницу, прошу прощения, сэр. Вы небось слышали, как она визжала.

— Слышал, — сказал Хорнблауэр.

Он с облегчением осознал, что Том Криб и миссис Сиддонс — кают-компанейские свиньи. Последнюю нарекли в честь знаменитой трагической актрисы.

— Она уже оклемалась. Кок приляпал ей на задницу смолы.

Явился доктор и доложил, что потерь не было.

— Только среди свиней, сэр, — добавил Уолш заискивающим тоном человека, который приглашает старшего по званию посмеяться.

— Мне только что об этом доложили, — сказал Хорнблауэр.

Джерард говорил с вестовым.

— Ладно! — объявил он. — Требуху мы зажарим. А филей запеки. И смотри, чтобы получилась хрустящая корочка. Будет подметка, как в прошлый раз, лишу грога. Лук и чеснок есть, да, кстати, и яблок немного осталось. Соус из яблок, лука и чеснока — и заруби себе на носу, Лоутон, никакой гвоздики. Что бы ни говорили другие офицеры, я гвоздики не потерплю. В яблочном пироге — ладно, но не в жареной свинине. Приступай немедленно. Один окорок отнеси унтер-офицерам с моими приветствиями, а другой запечешь и холодным подашь на завтрак.

Говоря это, Джерард для большей выразительности щелкал пальцами правой руки по ладони левой, глаза его сверкали. Похоже, когда поблизости нет женщин, Джерард все свободные от пушек мысли устремляет на свой желудок. Человек, у которого в палящий июльский полдень в Средиземном море глаза блестят при мысли о жареной требухе и запеченной свинине, и который с энтузиазмом предвкушает холодный свиной окорок на следующее утро, по справедливости сам должен быть толстым, как боров. Однако Джерард подтянут, элегантен и хорош собой. Хорнблауэр, вспомнив свое намечающееся брюшко, испытал мгновенную зависть.

Полковник Вильена бродил по палубе, как потерянный. Ему явно не терпится заговорить — а Хорнблауэр единственный на борту понимает по-испански. Мало того, как полковник он по чину равен капитану и вправе рассчитывать на его гостеприимство. Хорнблауэр решил, что лучше переесть жареной свинины, чем выслушивать болтовню Вильены.

— Похоже, вы затеваете сегодня вечером пиршество, мистер Джерард, — сказал он.

— Да, сэр.

— Не стеснит ли вас мое общество?

— Что вы, сэр. Ничуть, сэр. Мы будем очень рады, если вы окажете нам такую честь, сэр.

Джерард от души обрадовался перспективе принимать капитана. Лицо его осветилось. Хорнблауэр был искренно растроган, несмотря на укоры совести, напоминавшей, из-за чего, собственно, он напросился на обед.

— Благодарю вас, мистер Джерард. Тогда мы с полковником Вильеной будем сегодня вашими гостями.

Если повезет, Вильену посадят далеко, разговаривать с ним не придется.

Тамбур-сержант морской пехоты собрал весь корабельный оркестр — четырех своих трубачей и четырех барабанщиков. Они расхаживали взад и вперед по шкафуту, оглушительно лупили в барабаны, в то время как трубы бодро выводили веселый мотив.

Могучи наши корабли,
И просмолены наши парни... —

неслось к далекому горизонту,

Разухабистые слова и внятные чувства были по душе матросам, хотя любой из них разъярился бы, назови его кто «просмоленным парнем».

Взад-вперед двигались красные мундиры, мерный барабанный бой завораживал, заставляя позабыть про изнуряющую жару. На западе дивно горело закатное небо, хотя на востоке над лиловым морем уже сгущалась ночная тьма.

XV

— Восемь склянок, сэр, — сказал Полвил.

Хорнблауэр вздрогнул и проснулся. Хотя он спал больше часа, ему казалось, что прошло от силы минут пять. Он лежал на койке в ночной рубашке — ночью так парило, что он сбросил покрывало, — голова болела, во рту было гадко. Он ушел спать в полночь, но — спасибо жареной свинине — часа два-три ворочался с боку на бок в одуряющей духоте, а теперь его будят в четыре часа утра, чтобы он успел составить рапорт капитану Болтону или адмиралу. Застонав от усталости, Хорнблауэр спустил на палубу ватные ноги. Глаза опухли и слипались — он потер их и почувствовал резь.

Он бы снова застонал, если бы не стоял рядом Полвил, в глазах которого надо выглядеть человеком без слабостей. Вспомнив про это, Хорнблауэр рывком встал, делая вид, будто окончательно проснулся. После того как он искупался под помпой и побрился, это стало почти правдой, а когда заря забрезжила над мглистым горизонтом, он сел за стол, заточил новое перо, задумчиво облизнул кончик, обмакнул в чернила и начал писать:

«Честь имею доложить, что в соответствии с полученными от капитана Болтона приказами, 20-го числа сего месяца я проследовал...»

Полвил принес завтрак, и Хорнблауэр потянулся к дымящемуся кофе, надеясь подкрепить уже иссякающие силы. Чтобы освежить в памяти подробности захвата «Амелии», пришлось перелистать вахтенный журнал — за три таких бурных дня многое успело позабыться. Писать надо было простым языком, без выспренних оборотов и гиббонианских антитез, однако Хорнблауэр избегал употреблять и канцелярские выражения, обычные у других капитанов. Так, перечисляя захваченные возле батареи в Льянце суда, он старательно вывел «поименованные ниже», а не «нижепереименованные» — флотский штамп, вошедший в обращение с легкой руки безграмотных капитанов времен «войны за ухо Дженкинса»[1]. Он вынужден был писать «проследовал» — во флотских донесениях корабли не идут, не держат курс, не выходят в море, не поднимают якоря, а исключительно следуют в соответствии с приказами, подобно тому, как и капитаны никогда не советуют, не подсказывают, не рекомендуют, а лишь почтительнейше предполагают. Вот и Хорнблауэр почтительнейше предполагал, что пока французы не восста-

[1] Война между Англией и Испанией в 1739–1741 годах, поводом для которой послужило представленное в палату общин капитаном Робертом Дженкинсом ухо, отрезанное у него испанским офицером при досмотре судна в Гаване.

новят батарею в Льянце, прибрежное сообщение между Францией и Испанией на отрезке от Пор-Вандра до залива Росас будет весьма уязвимо.

Пока он мучительно подбирал слова, чтобы описать вылазку в Этан-де-То возле Сета, в дверь постучали и на его «войдите» вошел Лонгли.

— Меня послал мистер Джерард, сэр. На правой скуле видна эскадра.

— Флагман там?

— Да, сэр.

— Хорошо. Передайте мистеру Джерарду мои приветствия и попросите его взять курс на эскадру.

— Есть, сэр.

Значит, донесение надо адресовать адмиралу, а не капитану Болтону и закончить в оставшиеся полчаса. Хорнблауэр обмакнул перо в чернильницу и лихорадочно застрочил, описывая расстрел армии Пино и Лекки на прибрежной дороге между Мальгратом и Аренс-де-Маром. Его самого поразило, когда он подсчитал: итальянцы должны были потерять убитыми и ранеными пятьсот-шестьсот человек, не считая тех, кто сбежал или заблудился. Излагать это надо было осторожно, дабы не попасть под подозрение в похвальбе — провинности, с точки зрения начальства, неизвинимой. Вчера пятьсот или шестьсот человек были убиты или искалечены из-за того лишь, что он — деятельный и предприимчивый офицер. Созерцая мысленным взором вчерашние свои свершения, Хорнблауэр видел их как бы двояко: с одной стороны — трупы, вдовы и сироты, мучения и боль, с другой — неподвижные фигурки в белых штанах, рассыпанные оловянные солдатики, цифры на бумаге. Он проклинал свой аналитический ум, как проклинал жару и лежащий перед ним рапорт. Он даже осознавал отчасти, что теперешнее подавленное состояние духа напрямую связано с недавними успехами.

Хорнблауэр подмахнул донесение и крикнул Полвилу, чтобы принес свечу и натопил воску для печати, пока сам он посыпает свежие чернила песком. От жары пальцы липли к размякшей бумаге. Когда он начал подписывать «контр-адмиралу сэру П.Г. Лейтону, К. Б.» чернила расплылись на влажном листе, как на промокашке. По крайней мере, с донесением покончено. Хорнблауэр поднялся на палубу, где пекло уже невыносимо. Металлический блеск неба, заметный еще вчера, сделался сегодня отчетливее: барометр в каюте падал вот уже три дня. Без сомнения, надвигается шторм, мало того — столь долго ожидаемый шторм будет тем более свирепым. Хорнблауэр повернулся к Джерарду и приказал следить за погодой, а при первых признаках ненастья убавить парусов.

— Есть, сэр, — отвечал Джерард.

Два других корабля эскадры покачивались на волнах в отдалении — «Плутон» с тремя рядами орудийных портов и красным военно-морским флагом на крюйс-стеньге, указывающим на присутствие контр-адмирала Красного флага, «Калигула» в кильватере.

— Позовите мистера Марша салютовать адмиральскому флагу! — приказал Хорнблауэр.

После обмена приветствиями по фалам «Плутона» побегали флажки.

— Позывные «Сатерленда», — читал Винсент. — «Занять позицию в кильватере».

— Подтвердите.

Новая цепочка флажков.

— Позывные «Сатерленда», — снова прочел Винсент. — «Флагман капитану. Явиться на борт и доложить».

— Подтвердите. Мистер Джерард, спустите мою гичку. Где полковник Вильена?

— Не видел его с утра, сэр.

— Эй, мистер Сэвидж, мистер Лонгли. Бегите вниз и вытащите полковника Вильену из постели. Он должен быть здесь одетым к тому времени, как спустят мою гичку.

— Есть, сэр.

Через две с половиной минуты капитанская гичка покачивалась на волнах, а Хорнблауэр сидел на кормовой банке. Вильена появился у борта в последнюю секунду и вид имел преплачевный, чему не приходилось удивляться — два бесцеремонных мичмана, не знающих ни слова по-испански, впопыхах выволокли его из постели и кое-как помогли напялить одежду. Кивер сполз набок, доломан был застегнут криво, перевязь и саблю Вильена держал в руках. Нетерпеливые матросы затащили его в шлюпку — никому не хотелось ронять репутацию своего корабля, заставляя адмирала ждать из-за какого-то испанца.

Вильена плюхнулся рядом с Хорнблауэром. Он был небрит и встрепан, глаза опухшие, как у Хорнблауэра при пробуждении. Испанец бормотал и ворчал со сна, осоловело поправлял одежду, а тем временем гичка, подгоняемая усилиями гребцов, стрелой неслась по воде. Только возле флагмана Вильена окончательно продрал глаза и заговорил, но в недолгое оставшееся время Хорнблауэру уже не пришлось изощряться в вежливости. Он надеялся, что адмирал оставит Вильену у себя, дабы порасспросить о ситуации на берегу.

У борта Хорнблауэра приветствовал капитан Эллиот.

— Рад видеть вас, Хорнблауэр, — сказал он.

Хорнблауэр представил Вильену, Эллиот пробормотал нечто невразумительное и в изумлении уставился на яркий мундир и небритые щеки. Когда с формальностями было покончено, Эллиот с явным облегчением вновь заговорил с Хорнблауэром:

— Адмирал у себя в каюте. Прошу сюда, джентльмены.

В каюте кроме адмирала находился его флаг-адъютант, молодой Сильвестр, о котором Хорнблауэру приходилось слышать как о способном офицере, хотя и он, разумеется, принадлежал к знати. Сам Лейтон был в то утро неповоротлив и говорил медленно — в жаркой каюте по его полным щекам ручьями катился пот. Они с Сильвестром мужественно постарались приветить Вильену. Оба сносно говорили по-французски, плохо — по-итальянски и, припомнив остатки школьной латыни, кое-как объяснялись на смеси трех языков, но разговор шел туго. С явным облегчением Лейтон повернулся к Хорнблауэру:

— Я хотел бы выслушать ваше донесение, Хорнблауэр.

— Вот оно в письменном виде.

— Спасибо. Но давайте немного послушаем вас самого. Капитан Болтон сказал мне, что вы захватили призы. Где вы были?

Хорнблауэр начал перечислять. Сказать надо было так много, что он смог счастливо опустить обстоятельства, при которых расстался с Ост-Индским конвоем. Он рассказал, как захватил «Амелию» и флотилию мелких судов у Льянцы. Тяжелое лицо адмирала оживилось при вести, что он стал на тысячу фунтов богаче. Лейтон сочувственно закивал, когда Хорнблауэр объяснил, что вынужден был сжечь последний трофей — каботажное судно около Сета. Хорнблауэр осторожно предположил, что эскадра могла бы с успехом приглядывать за побережьем между Пор-Вандром и Росасом, где после уничтожения батареи в Льянце негде укрыться французским судам. При этих

словах меж адмиральских бровей пролегла чуть заметная морщина, и Хорнблауэр поспешно оставил эту тему. Лейтон явно не любит, чтобы подчиненные ему советовали.

Хорнблауэр торопливо перешел к событиям следующего дня на юго-востоке.

— Минуточку, капитан, — перебил его Лейтон. — Вы хотите сказать, что прошлой ночью двигались на юг?

— Да, сэр.

— Место встречи вы, вероятно, прошли в темноте?

— Да, сэр.

— И вы не потрудились узнать, вернулся ли флагман?

— Я приказал впередсмотрящим наблюдать особо тщательно.

Морщина между бровей Лейтона сделалась отчетливее. Капитаны, особенно на блокадной службе, изрядно досаждают адмиралам тем, что рвутся действовать независимо — хотя бы ради призовых денег — и постоянно изыскивают для этого предлоги. Лейтон явно намеревался пресекать такие попытки в зародыше, мало того, он догадался, что Хорнблауэр, миновав место встречи ночью, действовал с умыслом.

— Я чрезвычайно недоволен вашим поведением, капитан Хорнблауэр. Я уже выговорил капитану Болтону за то, что он вас отпустил, а теперь узнаю, что позапрошлой ночью вы были в десяти милях отсюда. Я затрудняюсь выразить вам степень своего неудовольствия. Так случилось, что до места встречи я добрался утром того же дня, и по вашей милости два линейных корабля его величества бездействовали сорок восемь часов, пока вы не соизволили вернуться. Прошу понять, капитан Хорнблауэр, что я глубоко раздосадован, о чем не премину известить в своем рапорте адмирала, командующего Средиземноморским флотом, дабы тот принял, какие сочтет нужными, меры.

— Да, сэр, — отвечал Хорнблауэр, изображая на лице глубокое раскаяние. Впрочем, он успел рассудить, что трибуналом тут не пахнет — приказы Болтона полностью его оправдывают — и вообще, вряд ли Лейтон осуществит свою угрозу и сообщит адмиралу.

— Прошу продолжать, — сказал Лейтон.

Хорнблауэр начал рассказывать про итальянцев. По выражению адмиральского лица он видел, как мало значения тот придает достигнутому моральному воздействию, что ему не хватает воображения представить позорно бегущие от неуязвимого врага полки и то, как скажется это на них в дальнейшем. Когда Хорнблауэр предположил, что итальянцы потеряли не менее пятисот человек, Лейтон заерзал и обменялся с Сильвестром взглядами — он явно не поверил. Хорнблауэр решил воздержаться от замечания, что еще не менее пятисот человек отстали или дезертировали.

— Очень интересно, — сказал Лейтон фальшиво.

К счастью, в дверь постучал Эллиот.

— Погода портится, сэр, — доложил он. — Я полагаю, что если капитан Хорнблауэр хочет вернуться на свой корабль...

— Да, конечно, — сказал Лейтон, вставая.

С палубы Хорнблауэр увидел, что с подветренной стороны горизонт быстро заволакивается черными тучами.

— Еле-еле успеете, — сказал Эллиот, провожая его к шлюпке и поглядывая на небо.

— Да, конечно, — отвечал Хорнблауэр.

Он торопился отвалить, пока никто не заметил, что он оставил Вильену — позабытый всеми, тот замешкался на

шканцах, не понимая, о чем говорят между собой англичане.

— Весла на воду! — приказал Хорнблауэр, еще не сев, и гичка понеслась прочь.

Даже на трехпалубном корабле места маловато, особенно если там разместился адмирал со своим штабом. Чтобы устроить испанского полковника, придется потеснить какого-то несчастного лейтенанта. Хорнблауэр скрепя сердце решил, что не будет переживать из-за неведомого младшего офицера.

XVI

Когда Хорнблауэр поднялся на борт «Сатерленда», нагретый воздух был по-прежнему недвижим, хотя вдалеке уже глухо громыхало. Черные тучи заволокли почти все небо, а проглядывающая кое-где голубизна отливала сталью.

— Сейчас налетит, сэр, — сказал Буш, самодовольно поглядывая наверх — по его приказу на «Сатерленде» убрали все паруса, кроме марселей, да и на тех матросы торопливо брали рифы. — А вот с какой стороны, бог его знает.

Хорнблауэр вытер вспотевший лоб. Парило нестерпимо, стояло безветрие, и «Сатерленд» мучительно кренился на волнах. Громко стучали, задевая один о другой, блоки.

— Да уж поскорее бы, черт его дери, — проворчал Буш.

Жаркий, как из топки, порыв ветра налетел на них, «Сатерленд» на мгновение выровнялся. Вот и следующий порыв, еще сильнее, еще жарче.

— Вот оно! — Буш указал пальцем.

Черное небо разорвала ослепительная вспышка, оглушительно громыхнул гром. Шквал несся на них, фронт его, четко очерченный на серой воде, стремительно надвигался. Ветер ударил почти точно в лоб, «Сатерленд» содрогнулся и начал опускать нос. По приказу Хорнблауэра рулевой дал ему увалиться. Ревущий ветер принес град — градины размером с вишню били по голове, по лицу, ослепляли, громко лупили по палубе, взбивали море в дрожжевую пену, и ее шипение доносилось сквозь все другие шумы. Буш прикрывал лицо воротником, надвигал на глаза зюйдвестку, но Хорнблауэр так обрадовался свежему ветру, что не обращал внимания на град. Прибежал Полвил с дождевиком и зюйдвесткой, заговорил — Хорнблауэр не услышал. Чтобы он оделся, Полвилу пришлось дергать его за локоть.

«Плутон» дрейфовал в двух кабельтовых на левой скуле — большой, трехпалубный, он еще хуже слушался руля, и ветром его сносило сильнее. Хорнблауэр смотрел на него и гадал, как там Вильена, задраенный в стонущей утробе судна. Небось поручает себя святым угодникам. «Калигула» под зарифленными марселями держался мористее, вымпел его застыл на ветру прямой, как палка. «Калигулу» строили с расчетом на шторма — в отличие от «Плутона» ему не расширяли поперечное сечение, не увеличивали длину, не перегружали артиллерией: британские корабелы не жертвовали его мореходными качествами ради малой осадки, не то что голландские строители «Сатерленда».

Ветер поменял направление на полных четыре румба, «Сатерленд» кренился, штормовые паруса хлопали, словно стреляющие пушки, пока корабль вновь не увалился под ветер. Град сменился ливнем. Ревущий ветер бросал водяные струи в лицо, волны вздыбились, «Сатерленд» неуклюже подпрыгивал и раскачивался. «Плутону» ветер ударил почти в лоб, но Эллиот вовремя приказал увалиться. Лучше командовать старым плоскодонным «Сатерлендом», чем громоздким трехпалубником с его девяносто восемью тридцатидвухфунтовыми пушками, хотя жалованья за это платят больше.

Ветер завыл еще яростнее, срывая с Хорнблауэра дождевик. «Сатерленд» шатался, как корова на льду. Буш что-то орал. Хорнблауэр разобрал слова «вспомогательные тали» и кивнул, Буш юркнул вниз. Как бы ни буйствовал «Сатерленд», четверо рулевых смогут, наверное, удерживать штурвальное колесо могучими рычагами рукоятей, однако тросы рулевого привода напряжены непомерно — в качестве меры предосторожности следует поставить человек шесть-восемь у вспомогательных талей в констапельской, чтобы поберечь и рулевых, и тросы рулевого привода. Возле ближайшего к штурвалу решетчатого люка надо поставить унтер-офицера, чтобы тот выкрикивал указания матросам у вспомогательных талей, опытнейшим морякам — хорошо, что Хорнблауэр так решительно повел себя с ост-индийцами.

Небо с наветренной стороны стало перламутровым, с подветренной облака разошлись, открывая взору зазубренную череду гор. Где-то там — залив Росас, ненадежное укрытие от штормового зюйд-веста, куда британцам вход заказан, ощетинившаяся пушками крепость Росас, год назад взятая французами после продолжительной осады, что и дало Кокрейну случай отличиться. С севера залив ограничен мысом Креус, тем самым, возле которого «Сатерленд» захватил в плен «Амелию». За мысом берег вновь поворачивает к северу, и здесь, на достаточном удалении от подветренного берега, можно переждать непогоду — яростные средиземноморские шторма выдыхаются быстро.

— Флагман сигналит, сэр, — завопил вахтенный мичман. — Номер тридцать пять. «Поднять паруса соответственно погоде».

На «Плутоне» кроме зарифленных марселей подняли еще и штормовые стаксели — адмирал счел за лучшее лавировать против ветра, подальше от опасного мыса Креус. Разумная предосторожность, Хорнблауэр приказал взять тот же курс. Четверо рулевых и матросы у вспомогательных талей едва смогли выполнить приказ. Орудийная прислуга крепила пушки двойными брюками, другие качали две кеттенс-помпы. Пока вода прибывала небыстро, но Хорнблауэр предпочитал держать льяло сухим на случай, если придется откачивать всерьез. «Калигула» был далеко на ветре — Болтон сполна использовал отличные мореходные качества своего корабля и держался подальше от берега. Но и «Сатерленд» с «Плутоном» в относительной безопасности — если не произойдет ничего непредвиденного. Сломанная мачта, сорвавшаяся пушка могут в корне изменить ситуацию, но пока все идет нормально.

Гром гремел без передышки, и Хорнблауэр уже перестал его замечать. В черных тучах завораживающе играли молнии. Этот шторм ненадолго — скоро равновесие воздушных масс восстановится. Однако будут еще сильные порывы. Ветер взбаламутил мелководное море — по палубе «Сатерленда» то и дело перекатывалась вода. После удушающей жары ветер бодрил, бодрили даже брызги и дождь, натянутый такелаж пел, и музыка эта была Хорнблауэру по сердцу. Подошел Полвил сказать, что обед готов (увы, холодный, поскольку огонь на камбузе погасили с началом шторма), и Хорнблауэр удивился, что прошло столько времени.

После обеда он снова вышел на палубу. Ветер заметно ослабел, с наветренной стороны кое-где проглядывало

зеленовато-голубое небо, дождь перестал, но волны бушевали пуще прежнего.

— Ненадолго его хватило, сэр, — заметил Буш.

— Да, — отвечал Хорнблауэр, но про себя отметил, что перед затишьем небо бывает голубее. Он не помнил, чтобы хоть один средиземноморский шторм улегся, не показав себя напоследок. А мыс Креус по-прежнему близко — с подветренной стороны на горизонте. Хорнблауэр внимательно огляделся: «Плутон» под ветром, окутанный пеленой брызг, «Калигула» далеко на ветре, его паруса едва различаются над серым пенистым морем.

И тут это произошло — налетел ревущий шквал, накренил «Сатерленд» и в мгновение ока поменял направление.

Хорнблауэр, цепляясь за бизань-ванты, выкрикивал приказы. В какую-то секунду ему показалось, что «Сатерленд» не выровняется, и тут ветер ударил в лоб и поволок упирающийся корабль кормой вперед. Он визжал и ревел с невиданной прежде силой. Не сразу удалось привести корабль к ветру и положить в дрейф: волны сделались круче и беспорядочней, «Сатерленд» мотало из стороны в сторону, и даже бывалые моряки с трудом держались на ногах. Но ни один рей не сломался, не лопнул ни один трос — плимутские докеры потрудились на славу, Буш и Гаррисон тоже не зря ели свой хлеб.

Буш снова что-то кричал, указывая за корму. Хорнблауэр повернулся туда. «Плутон» исчез — на мгновение Хорнблауэр подумал, что он затонул со всей командой. Потом волна отхлынула: «Плутон» лежал на боку, серые волны перехлестывали через обнажившееся днище, реи торчали к небу, паруса и такелаж чернели под взбитой пеной.

— Силы небесные! — возопил Буш. — Их смыло!

— Поставить грота-стаксель! — заорал Хорнблауэр.

«Плутон» еще не затонул — наверняка кто-то жив, кто-то уцелел в бушующем море и успеет ухватиться за спущенный с «Сатерленда» трос; если волны прежде не разобьют людей о борт, их, возможно, удастся втянуть на палубу. Надо попытаться, как ни малы шансы, спасти хотя бы одного из тысячи. Хорнблауэр медленно вел «Сатерленд» к «Плутону». Тот еще держался на плаву, волны разбивались о него, как о торчащий из воды риф. Можно вообразить, что там творится: палубы стоят торчком, все, что могло сорваться, сорвалось и покатилось, не разбирая дороги. Пушки наветренного борта повисли на брюках — еще чуть-чуть — и они оторвутся, пробьют дыры в противоположном борту, и корабль затонет. В темноте под палубами карабкаются люди, на главной палубе все, кого еще не смыло, висят, цепляясь, как мухи на оконном стекле, под сокрушительными ударами волн.

В подзорную трубу Хорнблауэр различил какое-то пятнышко на верхней, обнажившейся стороне «Плутона», живое пятнышко, уцелевшее в разъяренной стихии. А вот и другие пятнышки, быстрое, осмысленное шевеление. Какой-то смельчак повел людей рубить наветренные ванты; когда «Сатерленд» приблизился, перерублены были уже ванты грот и фок-мачты. «Плутон» содрогнулся и вынырнул, как кит, вода хлестала из шпигатов, а когда он накренился к «Сатерленду», упала и бизань-мачта, уже на другой борт. Избавившись от рангоута и такелажа, «Плутон» выровнялся — за то недолгое время, что корабль лежал на боку, флотская дисциплина и отвага подарили ему малый шанс на спасение. Матросы еще рубили последние ванты, удерживающие обломки мачт.

Но дела их были плохи. Короткие обрубки торчали на месте мачт, бушприт исчез совсем. Голый остов качался, как пьяный, то показывая медную обшивку правого борта, то переваливаясь на другую сторону с амплитудой больше девяноста градусов, и все это за несколько секунд. Удивительно еще, что он не перекатывается, как деревянная кегля. Тот ад, что творится внутри корабля, не привидится и сумасшедшему в страшном сне. И все же корабль жил, по крайней мере часть команды осталась цела. Над головой прокатился завершающим раскатом гром, на западе, под ветром, тучи разошлись и сквозь них проглянуло яркое испанское солнце. Ветер дул крепкий, но не более того. Бед натворил последний ураганный порыв стихающего шторма.

Однако длился этот порыв дольше, чем Хорнблауэру показалось. Мыс Креус на горизонте заметно увеличился, и ветер гнал к нему оба корабля. Через час-два лишенный мачт остов выбросит на мели у подножия мыса, где его добьют если не волны, так французские пушки.

— Мистер Винсент, — сказал Хорнблауэр. — Поднимите сигнал: «“Сатерленд” — флагману. Иду на помощь»

При этих словах Буш подпрыгнул. В кипящем море, вблизи подветренного берега почти невозможно помочь вдвое более тяжелому кораблю без единой мачты. Хорнблауэр повернулся к первому лейтенанту:

— Мистер Буш, пропустите носовой шпринг в кормовой порт. Побыстрее, пожалуйста. Я возьму флагман на буксир.

Свое возмущение Буш мог выразить только взглядом — возразить открыто он бы не посмел. Но все видели, что Хорнблауэр рискует неимоверно и, главное, зазря. Затея практически неосуществима — хотя бы потому, что не удастся перебросить буксирный конец на беспорядочно кренящийся в подошве волны «Плутон». Тем не менее Буш исчез раньше, чем Хорнблауэр успел бы ответить на его недовольный взгляд. Ветер гнал их к берегу, нельзя было терять ни секунды.

При плоском днище и подставленном ветру рангоуте «Сатерленд» будет дрейфовать быстрее «Плутона». Прежде чем обстенить паруса и лечь в дрейф, придется в бейдевинд лавировать против крепкого ветра. Малейший недочет, малейшая неприятность с парусом или реем могут оказаться гибельными. На пронизывающем ветру, под дождем, марсовые тем не менее скоро вспотели — капитан требовал то наполнить, то обстенить паруса, то привести к ветру, то повернуть оверштаг. Они обходили покалеченный «Плутон», как чайка, которая кружит над обломками кораблекрушения. А мыс Креус все приближался. Снизу доносился топот ног и скрежет тяжелого двадцатидюймового каната: руководимые Бушем матросы, надрываясь, волокли по нижней палубе упирающийся шпринг.

Теперь Хорнблауэр тщательно прикидывал расстояние между кораблями и направление ветра. Он не надеялся отбуксировать «Плутон» дальше в море — «Сатерленд» и один еле-еле смог бы идти в бейдевинд — только оттащить в сторону от мыса, сразу увеличив расстояние до берега. Оттянуть крушение — это уже хорошо. А там глядишь, ветер уляжется или поменяет направление, команда «Плутона» успеет поставить временную мачту и хоть отчасти взять судно под контроль. Мыс Креус на западе, ветер с востока и чуть-чуть с севера. Исходя из этого, легче буксировать «Плутон» на юг, и шансы обогнуть мыс больше. Однако на юге — залив Росас, и ветер вынесет их аккурат под французские пушки. В Росасе наверняка есть и канонерские шлюпки — нет, это уже верная гибель. На севере — Льянца, батарею восстановить еще не могли, да и в любом случае до оконечности мыса Льянца будет больше двадцати миль. На севере опасность меньше — если только удастся миновать мыс Креус. На основе явно недостаточных данных Хорнблауэр лихорадочно пытался рассчитать: как быстро ветер будет сносить два сцепленных вместе корабля и как далеко «Сатерленд» успеет отбуксировать покалеченный трехпалубник в отпущенное ему для этого время. Почти все параметры уравнения были ему неизвестны, и, как всегда в таких случаях, приходилось полагаться на интуицию. Он окончательно решил, что пойдет на север, когда на шканцы взбежал запыхавшийся матросик.

— Мистер Буш говорит, канат будет готов через несколько минут, сэр, — доложил он.

— Отлично, — сказал Хорнблауэр. — Мистер Винсент, сигнальте флагману: «Приготовьтесь принять буксирный конец». Мистер Моркел, позовите старшину моей гички.

Буксирный конец! Офицеры на шканцах переглянулись. «Плутон» беспорядочно переваливался с боку на бок и с носа на корму, то показывая медную обшивку днища, то уходя под воду белой полосой между орудийными портами, попеременно зарываясь носом и кормой, словно окончательно сбрендил. Приближаться к нему — все равно что в сильную качку ловить на палубе непривязанную пушку. Если корабли столкнутся, оба пойдут ко дну.

Хорнблауэр окинул взглядом мускулистые плечи молодого старшины.

— Браун, — сказал он. — Я хочу поручить тебе, когда мы будем проходить мимо флагмана, перебросить на него трос. Знаешь ли ты кого-нибудь, кто мог бы сделать это лучше? Отвечай честно.

— Нет, сэр. Не знаю, сэр.

Бодрая самоуверенность Брауна заражала.

— Как ты это сделаешь?

— С вашего позволения, сэр, привяжу кофель-нагель к лотлиню.

Молодчина, Браун, — принимает решения мгновенно.

— Тогда готовься. Я подойду кормой по возможности ближе к носу флагмана.

«Сатерленд» под штормовым кливером и узко зарифленными марселями был в двухстах ярдах на ветре от «Плутона». Хорнблауэр с упорством счетной машины просчитывал относительный ветровой снос, давление ветра на паруса, вероятность встречной волны, пьяные метания «Плутона». Пришлось выждать целых две минуты.

— Мистер Джерард, — сказал Хорнблауэр наконец — он был так занят расчетами, что не испытывал страха. — Обстените грот-марсель.

«Сатерленд» погасил и так небольшую скорость. Теперь ветер гнал его к «Плутону», полоска серой воды с бородатыми гребнями волн суживалась. К счастью, «Плутон» не уваливался под ветер, только дергался взад-вперед под ударами волн. Браун картинно стоял на гакаборте, ни за что не держась. Через руку он пропустил лот-линь, который одним концом тянулся к бухте на палубе, на другом болтался кофель-нагель — им Браун небрежно помахивал взад-вперед, как маятником. Он был великолепен на фоне неба, когда без тени волнения наблюдал за сходящимися кораблями. На какую-то секунду Хорнблауэр позавидовал его физической силе и уверенности. «Сатерленд» приближался, на перехлестываемом волнами полубаке «Плуто-

на» готовились принять линь. Хорнблауэр поглядел на матросов рядом с Брауном, убедился, что они готовы привязать к лотлиню конец покрепче.

— Получится, клянусь Богом! — сказал Джерард Кристелу.

Джерард ошибался — сейчас «Сатерленд» снесет ветром, и он пройдет от «Плутона» на десять ярдов дальше, чем Браун может перебросить кофель-нагель с привязанным к нему линем.

— Мистер Джерард, — холодно сказал Хорнблауэр, — обстените крюйсель.

Матросы мгновенно исполнили приказ. Теперь «Сатерленд» приобрел слабый задний ход, и расстояние между кораблями сокращалось еще быстрее. Взмывший на волне нос «Плутона» был прямо напротив них. Джерард и Кристел непроизвольно чертыхались вполголоса. Хорнблауэру вдруг стало холодно. Он хотел бы крикнуть «Кидай!» и лишь с трудом сдерживался. Брауну виднее. И тут он кинул — как раз когда корма «Сатерленда» поднялась на волне. Кофель-нагель с привязанным линем просвистел в воздухе, долетел до бикхеда «Плутона» и зацепился за уцелевший стоячий такелаж бушприта. Ободранный матрос упал на него всем телом, через мгновение и матроса, и кофель-нагель накрыла вода, но он удержал и передал товарищам линь.

— Получилось! — завопил Джерард. — Получилось, получилось, получилось!

— Мистер Джерард, — сказал Хорнблауэр. — Обрасопьте крюйсель круто к ветру.

«Плутон» относило от «Сатерленда», линь быстро разматывался, скоро за ним побежал и трос покрепче. Но время торопило: из-за разной скорости дрейфа Хорнблауэр не мог сохранять неизменное расстояние между кораблями — это было бы опасно, да и просто невозможно. Пока «Сатерленд» лежал в дрейфе, его сносило быстрее, чем «Плутон»; теперь он рванул в бейдевинд, и надо было, учитывая оба фактора, добиться, чтобы корабли расходились возможно медленнее. Занятная алгебраическая задачка, которую предстоит перевести в арифметическую и решить в уме.

Когда «Плутон» ни с того ни с сего устремился к «Сатерленду» и все затаили дыхание, думая, что сейчас корабли столкнутся, Хорнблауэру пришлось спешно перестраивать расчеты. Джерард выстраивал матросов с запасными реями у борта, чтобы те уперлись им в приближающийся «Плутон», как ни мала была надежда совладать с громадой весом в три тысячи тонн. По его же приказу другие матросы перебросили через борт кранец из набитого гамаками старого паруса. На полубаке «Плутона» тоже суетились, но в последнюю секунду под шквал проклятий трехпалубник откачнулся назад, и все вздохнули облегченно — только не Хорнблауэра. Если «Плутон» так устремился к «Сатерленду», он так же устремится прочь и наверняка разорвет привязанный к двадцатитрехдюймовому канату линь, тогда все придется начинать сначала, а мыс Креус все ближе и ближе.

— «Калигула» сигналит, сэр, — доложил Винсент. — «Чем могу помочь?»

— Ответьте «Ждите», — бросил Хорнблауэр через плечо — он и позабыл про «Калигулу». Болтон будет дураком, если без необходимости подойдет так близко к подветренному берегу.

За кормой громко плеснула вода — Буш потравил канат на случай, если «Плутон» потащит его слишком резко. Тут

легко переборщить — пеньковый канат тонет в воде и под его тяжестью может порваться линь. Хорнблауэр перегнулся через гакаборт.

— Мистер Буш! — заорал он.

— Сэр! — донесся в открытый порт голос Буша.

— Стой травить!

— Есть, сэр.

Линь вновь натянулся, канат гигантским морским червем медленно полз к «Плутону». Вот червь выпрямился — тут опять нужна тщательность и расчет. Хорнблауэр приказывал Бушу, когда травить, когда ждать, следил за кораблями, за морем, за ветром. В канате двести ярдов, но пятьдесят из них приходятся на длину «Сатерленда» — надо успеть до того, как корабли разойдутся на сто пятьдесят ярдов. Хорнблауэр вздохнул, лишь когда канат вполз на нос «Плутона» и оттуда замахали флажками, сообщая, что буксирный конец закреплен.

Хорнблауэр взглянул на близкий уже берег, прикинул направление ветра на щеке. Он рассчитал верно — даже если на этом галсе они обогнут мыс, их вынесет в залив Росас.

— Мистер Винсент, — сказал он. — Сигнальте флагману: «Готовлюсь сменить галс».

Джерард взглянул недоуменно. Ему казалось, что Хорнблауэр понапрасну рискует обоими кораблями. Джерард не видит дальше мыса Креус, только враждебную землю и спасительное море. Инстинкт моряка подсказывает ему держаться на расстоянии от берега, дальше он не загадывает. Он видит небо, чувствует море и реагирует безотчетно.

— Мистер Джерард, — сказал Хорнблауэр, — идите к рулю. Как только канат натянется...

Джерарду не надо было объяснять. Ни одному из рулевых не приходилось править кораблем, который тащит за кормой три тысячи тонн; никто не знает, как поведет себя при этом «Сатерленд». Чтобы он не приводился к ветру, наверняка потребуются какие-то неожиданные и решительные меры.

Канат натягивался, медленно вылезая из моря, выпрямлялся, как палка, отряхиваясь от брызг. Захрустели, принимая напряжение, битенги. Потом канат немного провис, хруст прекратился — это «Плутон» набирал скорость. С каждым ярдом он бежал все быстрее, и его все меньше сносило ветром. Как только он начнет слушаться руля, рулевым на «Сатерленде» станет полегче.

Буш, закончив с канатом, поднялся на шканцы.

— Мистер Буш, сейчас вы будете поворачивать оверштаг.

— Есть, сэр, — сказал Буш. Он поглядел на землю, оценил направление ветра и подумал в точности, что перед тем Джерард, только Буш знал: не его это ума дело. В вопросах судовождения Хорнблауэр всегда прав, и подчиняться надо, не рассуждая.

— Поставьте матросов к брасам, мистер Буш. Когда я скомандую, все должно произойти молниеносно.

— Есть, сэр.

«Плутон» набирал скорость, и теперь каждый ярд, пройденный на юг, работал против них.

— Обстенить крюйсель! — приказал Хорнблауэр.

«Сатерленд» погасил скорость, «Плутон» неотвратимо надвигался на него. Хорнблауэр увидел капитана Эллиота — тот бежал на бак, чтобы своими глазами убедиться, что происходит. Намерений Хорнблауэра он угадать не мог.

— Приготовьтесь поднять сигнал «Поворот оверштаг», мистер Винсент.

«Плутон» приближался.

— Обрасопьте крюйсель, мистер Буш.

Надо повернуть до того, как буксирный канат натянется — они только-только успеют разогнаться. Хорнблауэр наблюдал за канатом и оценивал скорость.

— Ну, мистер Буш! Мистер Винсент, сигнальте!

Руль положили на борт, паруса перебрасопили, Рейнер на баке раздернул фок-стеньги-стаксель. Корабль пересекал линию ветра, паруса заполоскали, на борту «Плутона» прочли сигнал и догадались тоже повернуть руль. Инерция позволила остову развернуться, облегчая Хорнблауэру маневр. Теперь «Сатерленд» набирал скорость на новом галсе, однако «Плутон» развернулся лишь наполовину. Сейчас рывком натянется буксирный канат. Он вставал из воды, распрямлялся, распрямлялся...

— Приготовьтесь, мистер Джерард!

«Сатерленд» содрогнулся от рывка. Натяжение каната выделывало с ним что-то невообразимое. Джерард выкрикивал приказы рулевым у штурвала, матросам у вспомогательных талей. В какую-то мучительную секунду показалось, что их потащит назад и развернет против ветра, но Джерард у штурвала, Буш у брасов и Рейнер на баке тянули его зубами и когтями. Дергаясь, «Сатерленд» уваливался под ветер, таща за собой «Плутон». И наконец оба корабля новым галсом двинулись на север, к относительной безопасности Лионского залива.

Хорнблауэр глядел на зеленоватые склоны мыса Креус чуть впереди левого траверза. Путь предстоял рискованный — «Сатерленд» теперь не только сносило ветром, но и тянуло инерцией «Плутона», та же инерция замедляла скорость. В реве ветра Хорнблауэр просчитывал дрейф и расстояния. Он оглянулся — «Плутон» набрал скорость и раскачивался уже не так ужасающе. Буксирный канат шел не прямо по удлинению «Сатерленда», а под углом, под углом к канату располагался и «Плутон». Эллиот делает все, что может, и тем не менее нагрузка на «Сатерленд» огромная. Надо бы увеличить скорость, но опасно прибавлять парусов на таком крепком ветру. Если лопнет парус или оторвется рей, они охнуть не успеют, как окажутся на прибрежной мели.

Хорнблауэр вновь поглядел на берег, оценивая быстро убывающее расстояние, и тут в кабельтове от них грозно взметнулся водяной столб. Шести футов высотой, он возник на гребне волны и так же загадочно исчез. Хорнблауэр не верил своим глазам, однако нарочито бесстрастные лица Кристела и Буша убеждали, что ему не примерещилось. Это плеснуло о воду пушечное ядро, хотя на ветру они не слышали выстрела и не видели клубов дыма на берегу. Стреляли с мыса Креус, и расстояние уже небольшое. Скоро над ними засвистят сорокадвухфунтовые ядра.

— Флагман сигналит, сэр, — доложил Винсент.

На «Плутоне» ухитрились приладить блок к останцу грот-мачты и подняли сигнал, со шканцев «Сатерленда» можно было невооруженным глазом прочесть трепещущие флажки.

— «Флагман — “Сатерленду”, — читал Винсент. — „Отцепите... буксир... если сочтете нужным”».

— Ответьте: «Полагаю ненужным».

Надо прибавить скорость, теперь это уже не вызывало сомнений. Интересная задачка из теории вероятности, но скорее для игрока в кости, чем для игрока в вист. Прибавить парусов — значит увеличить риск для обоих кораблей

и одновременно увеличить шансы на благоприятный исход. Даже потеряв рей, он сумеет увести «Сатерленд» от опасности, «Плутону» же придется не хуже, чем если позорно отцепить его прямо сейчас.

— Мистер Буш, отдайте рифы на фор-марселе.

— Есть, сэр. — Буш предвидел такую возможность и догадался, что капитан изберет более смелый путь. Молодец Буш, не всякий в его годы учился бы так быстро.

Марсовые побежали по вантам и по ножным пертам вдоль фор-марса-рея, цепляясь за рей локтями, в реве ветра отдали риф-сезни. Парус с треском расправился, под его усилившейся тягой «Сатерленд» накренился круче. Хорнблауэр увидел, что слабо изогнутый канат натянулся сильнее — однако пенька держала. Крен усилился, но рулевым у штурвала стало даже легче — несущая сила большого марселя отчасти гасила обратную тягу буксирного каната.

Хорнблауэр взглянул на берег — над мысом Креус клубился на ветру дым. Свиста ядер он не слышал и не видел, куда они упали — бурное море поглотило всплески. Но раз батарея стреляет, значит, она почти на расстоянии выстрела — они идут по лезвию. Тем не менее «Сатерленд» ускорился, на «Плутоне» готовились закрепить временную грот-мачту. Даже клочок паруса, поднятый на «Плутоне», неимоверно облегчит «Сатерленду» задачу. С мачтой управятся за час. А через час стемнеет, их станет не видно с батареи. Через час их судьба так или иначе решится.

Солнце пробилось через облака на западе и позолотило серые испанские холмы. Хорнблауэр убеждал себя, что надо продержаться еще час, и час они продержались. Они миновали мыс Креус — теперь до берега было не полторы, а все пятнадцать миль. К ночи корабли были спасены, а Хорнблауэр безмерно устал.

XVII

— Десантом будет командовать капитан Хорнблауэр, — сказал в заключение адмирал Лейтон.

Эллиот и Болтон — они сидели за круглым столом в большой каюте «Плутона» — одобрительно кивнули.

Только капитан может командовать десантом в шестьсот человек, собранным с трех линейных кораблей, и Хорнблауэр, как никто, годился на эту роль. Чего-то похожего ждали с тех самых пор, как из Маона вернулся после починки «Плутон», и Лейтон перебрался на него с «Калигулы». Частые отлучки полковника Вильены — он так и сновал между берегом и флагманом — тоже наводили на мысль. Три недели «Сатерленд» и «Калигула» курсировали вдоль берегов Каталонии. «Плутон», вернувшись, привез долгожданную свежую провизию, часть команды «Сатерленда», отправленную прежде с призами, и даже по двенадцать человек пополнения на каждый корабль. С такой командой можно нанести решительный удар, и предполагаемый захват Росаса, если удастся его осуществить, без сомнения, смешает французам все карты.

— Замечания? — спросил адмирал. — Капитан Хорнблауэр?

Хорнблауэр оглядел большую каюту, подушки на рундуках, столовое серебро, сытые лица Эллиота и Болтона; Сильвестр не расставался с бумагами и чернильницей, Вильена в ярко-желтом мундире лениво озирался по сторонам, пропуская мимо ушей непонятный ему английский разговор. На противоположной переборке висел изумительно похожий портрет леди Барбары, Хорнблауэру казалось, что сейчас он услышит голос. Интересно, куда девают картину на время боя? С усилием Хорнблауэр оторвал мысли от леди Барбары и постарался как можно тактичнее объяснить, что ему не нравится план в целом.

— Я думаю, — медленно произнес он, — что неразумно всецело полагаться на испанскую армию.

— Их семь тысяч, и они готовы выйти в поход, — сказал Лейтон. — Между Олотом и Росасом всего тридцать миль.

— Но им предстоит миновать Жерону.

— Полковник Вильена заверил меня, что войско без артиллерии легко пройдет окольными дорогами. Сам он проделал этот путь четыре раза.

— Да, — сказал Хорнблауэр. Один всадник на горной дороге — это еще отнюдь не семитысячное войско. — Можем ли мы быть уверены, что там пройдут семь тысяч человек? И что они дойдут?

— Для осады хватит четырех тысяч, — сказал Лейтон, — и генерал Ровира определенно пообещал выступить.

— И все же они могут не дойти, — настаивал Хорнблауэр. Он понимал: бессмысленно спорить с человеком, который не знает цены испанским обещаниям и которому не хватает воображения представить два войска, разделенные тридцатью милями гор, и все сложности взаимодействия между ними. Между бровями Лейтона пролегла выразительная морщина.

— Вы хотите предложить что-то иное? — спросил он с явным нетерпением.

— Я предложил бы, чтобы эскадра опиралась только на собственные силы и не зависела от испанской армии.

Батарею в Льянце восстановили. Почему бы снова ее не взять? Шестисот человек хватило бы.

— Мне предписано, — важно произнес Лейтон, — действовать в теснейшем сотрудничестве с испанскими силами. В Росасе гарнизон менее двух тысяч человек, у Ровиры семь тысяч в каких-то тридцати милях. Главная часть семи французских корпусов стоит южнее Барселоны — у нас в запасе по меньшей мере неделя. Эскадра предоставит тяжелые пушки, артиллеристов и отряд, который первый пойдет в пролом. Мне это представляется исключительно удачной возможностью провести совместную операцию, и я затрудняюсь понять ваши возражения, капитан Хорнблауэр. Но, может быть, они не так и бесспорны?

— Я всего лишь высказал их по вашей просьбе, сэр.

— Я просил вас не возражать, а сформулировать свои замечания или полезные соображения. Я ждал от вас большей преданности, капитан Хорнблауэр.

Это лишало спор всякого смысла. Если Лейтон хочет, чтобы ему поддакивали, не о чем и говорить. Он явно уверен в успехе предприятия. Хорнблауэр сознавал, что его возражения скорее интуитивны, чем рассудочны, а капитану не след ссылаться перед адмиралом на свой более богатый опыт.

— Заверяю вас в своей преданности, сэр.

— Очень хорошо. Капитан Болтон? Капитан Эллиот? Никаких замечаний? Тогда мы можем немедленно приступить к подготовке. Мистер Сильвестр составит для вас приказы в письменном виде. Надеюсь, что мы с вами стоим на пороге величайших свершений.

Действительно, взять Росас было бы величайшим свершением. Город связан с морем и при поддержке сильной британской эскадры выдержит долгую осаду. Он будет постоянно угрожать французским коммуникациям. Отсюда можно будет перебросить испанскую армию в любое место на побережье, так что семи корпусам придется не завоевывать Каталонию, а осаждать Росас. Но о том, что поблизости французов нет, известно от испанцев, испанец Ровира обещался привести из Олота войско, он же посулил найти тягловый скот, чтобы перетащить осадную артиллерию.

Однако Лейтон решился, и оставалось только взяться за дело со всем возможным рвением. Если все пойдет гладко, они одержат крупную победу. Хотя Хорнблауэр и не слышал, чтобы какая-нибудь совместная операция прошла без сучка без задоринки, он мог, по крайней мере, надеяться и ради этой надежды продумывать, как выгрузит на берег тяжелые пушки.

Двумя днями позже эскадра в ранних сумерках скользила по воде, обрывы полуострова Креус маячили в отдалении. Якорь бросили в бухте возле Сильвы-де-Мар, которую еще раньше сочли наиболее удобной для высадки. В четырех милях к западу располагалась батарея в Льянце, в пяти милях к востоку — батарея на мысе Креус, в пяти милях к югу, за хребтом, тянущимся к мысу Креус, лежал Росас.

— Удачи, сэр, — сказал из темноты Буш, когда Хорнблауэр спускался в шлюпку.

— Спасибо, Буш.

В неофициальном разговоре можно иногда пропустить неизменное «мистер». Буш большой шершавой ладонью нашел в темноте и сжал его руку — надо же, Буш серьезно встревожен предстоящей операцией.

Гичка быстро неслась по воде, в которой отражались бесчисленные звезды; вскоре тихий плеск волн о песчаный пляж стал слышнее, чем осторожный шум грузящегося в шлюпки войска. С берега окликнули — по-испански. Хорошо — значит, на берегу не французы, может быть даже, это обещанные герильеро. Хорнблауэр спрыгнул на берег, из темноты выступили несколько человек в плащах.

— Английский капитан? — спросил один по-испански.

— Капитан Горацио Хорнблауэр, к вашим услугам.

— Полковник Хуан Кларос, третья терция каталонского ополчения. Приветствую вас от имени генерала Ровиры.

— Спасибо. Сколько у вас людей?

— Моя терция. Тысяча человек.

— Сколько вьючных животных?

— Пятьдесят лошадей и сто мулов.

Вильена обещал, что на берег сгонят вьючных животных со всей Северной Каталонии. До Росаса четыре мили по горной дороге и миля по равнине — чтобы тащить одну двадцатичетырехфунтовую пушку весом в две с половиной тонны по плохой дороге, нужно пятьдесят лошадей. Если бы животных оказалось меньше, Хорнблауэр не тронулся бы с места.

— Отведите гичку обратно, — сказал Хорнблауэр Лонгли. — Пусть высадка продолжается.

Потом вновь повернулся к Кларосу:

— Где генерал Ровира?

— За Кастельоном, идет на Росас.

— Сколько с ним людей?

— Все способные носить оружие испанцы Северной Каталонии, исключая мою терцию. Не менее семи тысяч человек.

— Хм.

Все пока идет, как обещано. Войско должно быть под стенами на заре, осадную артиллерию надо перетащить максимально быстро и сразу начать обстрел. Росас надо

взять до того, как подоспеет французская армия из Барселоны, и времени совсем немного. Испанцы держат слово, Хорнблауэр должен сдержать свое.

— Наблюдают ли ваши люди за Росасом? — спросил он.

— Кавалерийский эскадрон поднимет тревогу в случае вылазки.

— Превосходно.

До зари он пушки далеко от берега не утащит, за это время Ровира должен взять Росас в кольцо, о любой вылазке доложат кавалеристы. Хорошо продумано. Похоже, он недооценивал испанцев, или просто каталонские ополченцы воюют лучше регулярной испанской армии — что весьма правдоподобно.

У берега плескали веслами все новые шлюпки, из первых матросы уже с шумом выпрыгивали в слабо фосфоресцирующую воду. Красные мундиры пехотинцев в сумерках казались черными, и на них ярко выделялись белые перекрестия портупей.

— Майор Лайрд!

— Сэр!

— Поднимитесь со своими людьми на вершину обрыва. Поставьте пикеты, где сочтете нужным. Помните ваши приказы. Не отпускайте никого дальше, чем на расстояние окрика.

Не доверяя бдительности испанских дозорных, Хорнблауэр хотел установить прочный заслон на случай внезапного нападения, но так, чтобы не получилось никаких накладок — а это нелегко, когда в темноте звучат три разных языка: английский, испанский и каталанский. Такого рода мелкие технические затруднения вряд ли предвидел не обремененный большим жизненным опытом адмирал.

Баркасы с пушками встали на мель далеко от берега. Матросы уже вытаскивали понтон, по распоряжению Хорнблауэра составленный из связанных в плоты рангоутных дерев и бочек. Кавендиш, первый лейтенант с «Плутона», работал толково и не беспокоил Хорнблауэра вопросами.

— Где лошади и мулы, полковник?

— Наверху.

— Спускайте их вниз.

Груз перетащат на берег в несколько минут, хотя тысяча ядер для двадцатичетырехфунтовых пушек — боезапас на день — весят более десяти тонн. Триста дисциплинированных матросов и триста морских пехотинцев выгрузят десять тонн ядер, пороховые бочонки, солонину и сухари на день — глазом не успеешь моргнуть. Больше всего мороки будет с пушками. Первую из десяти двадцатичетырехфунтовок только что уложили на понтон — перед этим пришлось отвязать найтовы, крепившие ее к планширю, вкатить с банки на короткую наклонную сходню и уже со сходни на сам понтон — тот просел под ее весом, так что вода перехлестывала через бревна. Двести человек по пояс в воде тянули привязанные к пушке тросы, спотыкались, плескали водой, оскользались на мягком песчаном дне, но все же постепенно подтаскивали ее к берегу.

Как любая пушка, она сопротивлялась с упорством борова, в которого вселились адские силы и потешаются над несчастными людьми. Хотя по приказу Хорнблауэра ее снабдили огромными колесами, она вновь и вновь застревала между бревен. Тогда в темноте Кавендиш и его люди подсовывали под нее лома и правила. Тут злокозненная махина разворачивалась, норовя съехать с понтона в воду, Кавендиш орал: «Стой!» — только выровняв ее, можно было снова тянуть за тросы. «Десять пушек, — размыш-

лял Хорнблауэр, — каждую тащить четыре мили вверх и вниз по дороге».

Там, где песок сменялся каменистым основанием уступа, понтон соединили с берегом деревянными плотами. Погонщики, настолько оборванные, что это было видно даже в темноте, привели лошадей и мулов, но, естественно, не подумали запастись упряжью.

— Эй, вы, — сказал Хорнблауэр, оборачиваясь к стоящим в ожидании матросам. — Здесь лежат лини. Сделайте из них хомуты и запрягите лошадей в пушку. Если поищете, найдете парусину.

— Есть, сэр.

Поразительно, как сноровисто моряки берутся за любое дело — они рьяно принялись вязать узлы и запрягать лошадей. Они говорили с испанскими лошадьми по-своему, и те, хотя вряд ли понимали английскую речь, послушно вставали куда нужно. Погонщики, тараторя по-каталански, толкали и тянули лошадей, так что суеты от них было больше, чем пользы. Двенадцать фонарей тускло освещали сцену: лошади ржали, били копытами, не понимая, чего от них хотят. Их выстраивали в цепочку, накидывали им на шеи хомуты из обмотанной парусиной веревки. В огоны на лафете пушки продели веревочные постромки.

— Отставить! — заорал один из матросов, когда постромки начали натягиваться. — У савраски за ногу по правому борту захлестнул трос.

К тому времени как вторую пушку подтащили к кромке воды, первую приготовились тянуть. Бичи щелкали, матросы орали. Лошади оступались на песке, но пушка ползла, сходни скрипели и трещали под колесами. Двигалась она судорожно, рывками, а у подножия крутого склона застопорилась совсем. Двадцать худосочных испанских лошадок не могли сдвинуть ее с места.

— Мистер Мур, — раздраженно сказал Хорнблауэр. — Проследите, чтобы пушку втащили.

— Есть, сэр.

Сто человек с помощью двадцати кляч втащили-таки чугунную громадину на склон. Еще матросы сзади подсовывали под колеса ломы, чтобы перетащить их через камни там, где уже не справлялись ни люди, ни лошади. Когда в свете брезжащей над морем зари Хорнблауэр увидел на вершине склона аккуратный ряд из десяти пушек и гору боеприпасов, он почувствовал, что не зря провел ночь.

Светало. На золотистом пляже внизу суетились матросы, дальше на синей водной глади покачивалась эскадра. Вровень с тем местом, где Хорнблауэр стоял, протянулось неровное каменистое плато, направо оно переходило в столовую возвышенность, а на юг, по всей видимости, к Росасу, вилась меж земляничных деревьев узкая тропа. В свете дня оказалось, что Кларос худ, загорел до черноты, что у него длинные черные усы, а под ними — ряд превосходных зубов, которые он обнажил в улыбке.

— У меня есть для вас лошадь, капитан.

— Спасибо, полковник. Вы очень любезны.

Между камней уныло слонялись оборванные личности. Когда солнце осветило расселины, оттуда принялись выползать другие оборванные личности, сонные, — по-прежнему кутаясь в одеяла, они бесцельно бродили туда-сюда. Хорнблауэр глядел на союзников с неприязнью, переходящей в отвращение. Да, нечто похожее он предвидел, но не сделался от этого снисходительнее. Бессонная ночь тоже не прибавляла симпатии к испанцам.

— Не будете ли вы так любезны, — сказал он, — послать к генералу Ровире гонца и сообщить, что мы выступаем к Росасу? Я надеюсь к полудню быть там хотя бы с частью пушек.

— Конечно, капитан.

— И я попрошу, чтобы ваши люди помогли тащить пушки и припасы.

Кларос отнесся к этому без восторга. Еще меньше порадовало его известие, что четыреста его человек потащат пушки, а еще четыреста — понесут к Росасу двадцатичетырехфунтовые ядра, по ядру каждый. Он попытался было возразить, но Хорнблауэр довольно резко его оборвал.

— А затем, полковник, они вернутся за остальными. Мне пообещали достаточное количество вьючных животных. Раз вы не нашли четвероногих, придется удовольствоваться двуногими. Теперь, с вашего позволения, тронемся.

Десять лошадей или мулов на каждую пушку. Сто человек у постромок. Сто человек впереди готовят дорогу, убирают камни и засыпают ямы. Четыреста человек несут ядра, некоторые при этом ведут в поводу нагруженных пороховыми бочонками мулов. Кларос еще сильнее скривил лицо, узнав, что задействовать придется каждого человека из его терции, в то время как двести своих пехотинцев Хорнблауэр предполагает работой не загружать.

— Я намерен поступить именно так. Если вам не нравится, полковник, вы можете поискать испанскую осадную артиллерию.

Хорнблауэр хотел на случай непредвиденных обстоятельств иметь под рукой крупный дисциплинированный отряд, и решимость его была столь очевидна, что Кларос не посмел более возражать.

Позади, там, где грузили мулов, раздались сердитые крики. Хорнблауэр зашагал туда, Кларос за ним. Они увидели, что испанский офицер вытащил шпагу и угрожает Грею, а за спиной у него оборванные герильеро заряжают ружья.

— Что такое? Что тут происходит? — спросил Хорнблауэр сперва на английском, потом на испанском.

Все повернулись к нему и заговорили разом, словно школьники, поссорившиеся на большой перемене. Темпераментную каталанскую речь офицера Хорнблауэр разобрать не мог и повернулся к Грею.

— Дело было так, сэр, — начал подштурман, предъявляя горящую сигару. — Этот даго, сэр, он закурил, когда навьючивал мула. Я сказал ему, очень вежливо, сэр: «Около пороха не курят, сэр», но он не обратил внимания, может, не понял. Тогда я сказал ему, сказал, значит: «Но курито около порохо, сеньор», а он просто выдохнул дым и повернулся ко мне спиной. Тогда я отобрал у него сигару, и он вытащил шпагу, сэр.

Кларос тем временем выслушал своего офицера. Хорнблауэр с Кларосом повернулись друг к другу.

— Ваш моряк оскорбил моего офицера, — объявил Кларос.

— Ваш офицер вел себя, как дурак, — сказал Хорнблауэр.

Казалось, это тупик.

— Поглядите, сэр, — сказал вдруг Грей.

На боку невозмутимого мула покачивался бочонок, доски чуть-чуть разошлись, и в щель черной струйкой сыпался порох. Он был уже на боку у мула, на земле. Даже каталонцы не могли не видеть, как опасен сейчас открытый огонь. Кларос чуть-чуть улыбнулся.

— Мой моряк действовал сгоряча, — сказал Хорнблауэр, — но я думаю, вы согласитесь, полковник, что он отчасти прав. Он принесет самые искренние извинения, и тогда, возможно, вы строго запретите курить возле пороха.

— Очень хорошо, — согласился Кларос.

Хорнблауэр повернулся к Грею.

— Скажите этому офицеру: «Боже, храни нашего милостивого короля, сеньор». Скажите это почтительно.

Грей взглянул изумленно.

— Говорите же! — велел Хорнблауэр резко.

— Боже, храни нашего милостивого короля, сеньор, — сказал Грей если не почтительно, то, по крайней мере, сконфуженно.

— Мой моряк извиняется перед вами за свою грубость, — объяснил Хорнблауэр офицеру.

Кларос удовлетворенно кивнул, коротко о чем-то распорядился и пошел прочь. Кризис разрешился, ничьи чувства не пострадали. Моряки улыбались и шутили, гордые каталонцы поглядывали на легкомысленных варваров свысока.

XVIII

Капитан Хорнблауэр въехал на очередной пригорок и натянул поводья. Над головой сияло августовское солнце, бесчисленные мухи осаждали и его, и лошадь, и спутников. Рядом ехал Кларос, позади неуверенно тряслись на тощих каталонских росинантах Лонгли и Браун в компании трех испанских адъютантов. Дальше по дороге сомкнутым строем двигались передовые части морской пехоты под предводительством майора Лайрда, там и сям на серо-зеленых склонах алели пикеты, расставленные им на случай внезапной атаки. Дальше гусеницей ползли обнаженные по пояс люди, расчищавшие дорогу, а еще дальше извивалась гусеница потолще и заканчивалась пушкой. За пять часов удалось покрыть чуть больше трех миль. Хорнблауэр, глядя на солнце, решил, что в запасе у него не больше полутора часов — за это время нужно протащить пушки еще милю по горам и милю по равнине Он со стыдом подумал, что наверняка и намного опоздает, и уже точно не откроет огонь до пяти или даже до шести часов вечера.

Внизу лежал Росас: горный воздух скрадывал расстояния, и казалось — до города не больше мили. Хорнблауэр узнавал на местности то, что прежде видел на карте. Справа — цитадель, серый пятиугольник крепостных стен, за ней — море, в центре — сам город, одна-единственная длинная улица протянулась вдоль моря, со стороны суши ее отгораживал земляной вал, налево — громада форта Тринидад. Самое уязвимое звено — сам город, но захватывать его бессмысленно: цитадель и форт Тринидад смогут обороняться независимо. Лучше всего взять быка за рога: штурмовать цитадель с берега. Следом за цитаделью падет и город, хотя форт Тринидад, вероятно, еще подержится.

Хорнблауэр так увлекся составлением диспозиции, что сперва не обратил внимания, какая пасторально-идиллическая картина предстала его глазам. Трехцветные флаги лениво хлопали над цитаделью и фортом, и лишь они одни хоть чем-то напоминали о войне. Никаких признаков осады. Не позднее чем через несколько часов в крепости узнают, что всего в двух милях от них движется плохо охраняемый конвой с пушками.

— Где армия Каталонии? — сердито спросил Хорнблауэр у Клароса.

Тот только пожал плечами.

— Не знаю, капитан.

Хорнблауэр понял, что его драгоценные пушки и его еще более драгоценные моряки вот-вот станут легкой добычей для солдат из Росаса.

— Вы сказали мне, что генерал Ровира вышел к Росасу вчера!

— Значит, что-то его задержало.

— Но гонец — тот, которого вы послали на заре, — вернулся?

Кларос, подняв брови, переадресовал вопрос адъютанту.

— Он не выезжал, — ответил тот.

— Что? — переспросил Хорнблауэр по-английски. Только оправившись от изумления и приведя в порядок свои чувства, смог он снова перейти на испанский. — Почему так?

— Офицеру пришлось бы утруждать себя без всякой надобности, — пояснил адъютант. — Если генерал Ровира придет, он придет. Если нет, никакой наш гонец не заставит его прийти.

Хорнблауэр указал направо, где в овраге стояли рядком около пятидесяти лошадей и сидели кучками люди — то был кавалерийский эскадрон, наблюдавший за Росасом со вчерашнего дня.

— Почему они не доложили, что генерал Ровира не прибыл? — спросил он.

— Я приказал командиру доложить, когда генерал Ровира прибудет, — отвечал Кларос.

Он и бровью не повел, когда англичанин презрительно скривился. Чтобы не рассориться вконец, Хорнблауэр на время сдержал ярость.

— Мы здесь в большой опасности, — сказал он.

Кларос вновь пожал плечами — похоже удивился, что англичанин такого робкого десятка.

— Мои люди привычны к горам. Если гарнизон нападет, мы уйдем козьими тропами, — сказал он, указывая на крутые склоны месы[1]. — Преследовать нас они не посмеют, а посмеют — не догонят.

— Но мои пушки? Мои люди?

— Воевать вообще опасно, — высокомерно отвечал Кларос.

Хорнблауэр обернулся к Лонгли.

— Скачите обратно, — приказал он. — Задержите пушки. Задержите носильщиков. Задержите всех. Без моего приказа никто не тронется с места.

— Есть, сэр.

Лонгли развернул лошадь и поскакал прочь — видимо, он научился ездить верхом до того, как попал на флот. Кларос, адъютанты, Хорнблауэр и Браун провожали его взглядами, затем повернулись друг к другу. Испанцы догадались, что за приказ отдан.

— Ни одна моя пушка, ни один мой человек не двинутся, — сказал Хорнблауэр, — пока я не увижу армию генерала Ровиры. Будете ли вы так любезны послать гонца теперь?

Кларос потянул себя за длинный ус и что-то сказал адъютантам; двое младших некоторое время пререкались, потом один взял написанную старшим записку и поскакал прочь. По лицу его было видно, что ему совсем не хочется ехать по жаре неизвестно как далеко.

— Пора обедать, — сказал Кларос. — Вы не распорядитесь, чтобы моих людей покормили, капитан?

[1] Mesa – (здесь) столовая возвышенность, плато (*исп.*).

У Хорнблауэра отвисла челюсть. Он думал, что его уже ничем не удивишь, но, оказывается, ошибался. Бронзовое лицо Клароса не выражало и тени сомнения. Он думает, что тысячу его людей будут кормить припасами, выгруженными с кораблей. У Хорнблауэра язык чесался отказать наотрез, однако он поостерегся. Если испанцев не покормить, они разбредутся в поисках пищи — а пока оставалась слабая надежда, что Ровира дойдет и осада начнется скоро. Ради этого шанса стоило пойти на уступку и протянуть несколько часов, пока их не заметили из крепости.

— Распоряжусь, — сказал Хорнблауэр.

Бесстрастно-самоуверенно полковник высказал свою необычную просьбу, так же бесстрастно-самоуверенно он выслушал, что англичанин, с которым он за минуту до того едва не разругался, удовлетворит его притязания.

Вскоре моряки и каталонцы уже дружно работали челюстями. Даже дозорные кавалеристы учуяли издалека запах пищи и, словно стервятники, слетелись на пиршество, оставив лишь четверых несчастных наблюдать за Росасом. Кларос и его адъютанты сидели в кружок, ординарцы прислуживали. Как Хорнблауэр ожидал, за комидой[1] последовала сиеста — наевшись, испанцы разлеглись в узкой тени кустов и захрапели, лежа на спине, с южной стойкостью не замечая вьющихся над приоткрытыми ртами мух.

Хорнблауэр не ел и не спал. Он спешился, лошадь поручил Брауну и, кипя злобой, заходил взад-вперед по гребню, глядя на Росас. Он написал адмиралу записку, где старательно объяснял причину задержки — тем более старательно, что не хотел показаться офицером, которому

[1] Трапеза (*исп.*).

всюду мерещится опасность. Ответ его взбесил. Нельзя ли, спрашивал Лейтон, штурмовать крепость с имеющимся пятью сотнями людей? Где генерал Ровира? Вопрос подразумевал, что Хорнблауэр каким-то образом виновен в том, что Ровиры нет. Лейтон напоминал, что необходимо теснейшим образом сотрудничать с испанцами. Эскадра не сможет долго снабжать союзников провиантом. Хорнблауэру предписывалось тактично намекнуть полковнику Кларосу, чтобы тот изыскал способ кормить своих людей сам. Высадка десанта должна достичь поставленной цели, однако ни в коем случае не следует предпринимать рискованных действий. В теперешних обстоятельствах записка Лейтона была пустой писаниной, однако трибунал вполне может счесть ее исключительно здравой и разумной.

— Прошу прощения, сэр, — внезапно сказал Браун. — Лягушатники вышли из города.

Вздрогнув, Хорнблауэр взглянул на Росас. Из крепости выползали три длинные змеи, три войсковых колонны разворачивались на равнине, по одной из города, цитадели и форта Тринидад. Хриплый крик испанских дозорных возвестил, что и они увидели: маленький отряд, бросив наблюдательный пост, во весь опор мчался к рассыпанному по плато испанскому войску. Хорнблауэр целых две минуты не мог оторвать взгляд от города: колонны не кончались, но все вытягивались и вытягивались. Две направлялись к ним, третья, та, что из цитадели, сворачивала направо, с явным намереньем отрезать испанцам путь вглубь материка. Хорнблауэр различал блеск ружей. Колонны все не кончались — в каждой должно быть не меньше тысячи солдат. Испанцы, сообщившие, что гарнизон насчитывает едва ли две тысячи человек, обманули, как и во все остальном.

Подскакал Кларос с адъютантами и взглянул на равнину. Ему хватило минуты: его спутники тут же указали пальцами на огибающую с фланга колонну. Он развернул лошадь и поскакал прочь. На мгновение они с Хорнблауэром встретились взглядами — хотя англичанин, как и прежде, не прочел ничего в испанских глазах, намерение он угадал. Если Кларос поспешит в горы, бросив британцев, он успеет скрыться — именно это он и выбрал. Даже если каталонцы могут сдержать трехтысячное французское войско, они не станут прикрывать отступление — бессмысленно и просить.

Десанту придется полагаться на собственные силы, и времени в обрез. Хорнблауэр вскарабкался на лошадь и поскакал за Кларосом — головы французских колонн уже выползли далеко на равнину и готовились штурмовать крутые склоны возвышенности. Поравнявшись с пехотинцами, которых майор Лайрд уже построил в шеренги, Хорнблауэр перешел на рысь. Нельзя обнаруживать тревогу или поспешность — это только напугает людей.

Предстояло нелегкое решение. Очевидно, разумнее бросить все — пушки, припасы — и вести людей к берегу. Потерю десяти двадцатичетырехфунтовых пушек, боеприпасов и провианта восполнить легче, чем потерю даже нескольких опытных моряков. Подчинись Хорнблауэр здравому смыслу, он бы погрузил своих людей на корабли раньше, чем подоспеют французы. Однако практические соображения часто приходится отодвигать на второй план. Бегство к кораблям, брошенные пушки — это необратимо подорвет в команде боевой дух, отступление с боем при малых потерях — напротив, поднимет. Утвердившись в принятом решении, Хорнблауэр остановил лошадь рядом с майором Лайрдом.

— Через час тут будут три тысячи французов, Лайрд, — сказал он тихо. — Вы должны сдержать их, пока мы загрузим пушки и боеприпасы.

Лайрд кивнул. Он был рыжий, как многие шотландцы, полноватый и краснолицый, треуголка сползла на затылок, он поминутно утирал с лица пот жуткого цвета лиловым шелковым платком, как нарочно подобранного к алому мундиру и перевязи.

— Так точно, — сказал он. — Сдержим.

Хорнблауэр последний раз окинул взглядом двойной строй пехотинцев, простые загорелые лица под киверами, белые перекрестья портупей. Спокойные, дисциплинированные — эти ребята не подведут. Он пришпорил тощую лошаденку и рысью поскакал по дороге. Вот и Лонгли, едет навстречу.

— Поезжайте на берег, Лонгли. Скажите адмиралу, что придется грузить людей и припасы. Попросите его приготовить шлюпки.

Испанцы уже в беспорядке двигались по тропе в глубь материка. Испанские унтер-офицеры собирали отстающих, британские унтер-офицеры в растерянности наблюдали, как те отвязывают лошадей.

— Прекратить! — заорал Хорнблауэр, судорожно подыскивая испанские слова. — Лошади останутся нам. Эй, Шелдон, Дрейк, привяжите лошадей обратно! Браун, скачи дальше. Скажи всем офицерам, чтобы испанцев не задерживать, но ни мула, ни лошади им не отдавать.

Испанцы угрюмо переглянулись. В разграбленной французами Каталонии вьючные и гужевые животные на вес золота. Последний из испанских партизан знает, что, лишившись лошадей и мулов, будет голодать в следующем походе. Однако британские моряки уступать не собирались — они уже вытаскивали пистолеты и сабли. Испанцы, видя, что французская колонна скоро отрежет им путь, смирились и отступили. Хорнблауэр пришпорил усталую лошадь и поехал дальше. По его приказу пушки, которые с таким трудом втащили наверх, теперь разворачивали обратно. Он доехал до устья узкой расщелины и спустился к берегу. Тихое послеполуденное море отливало лазурью, вдалеке три корабля мирно покачивались на якорях, шлюпки огромными жуками ползли по эмалевой глади к полоске золотистого песка.

Оглушительно стрекотали кузнечики. На берегу матросы грузили бочки с солониной и мешки с сухарями. С этим отлично справится Кавендиш. Хорнблауэр развернул лошадь и поскакал наверх. На краю обрыва уже собирались матросы с вьючными мулами. Хорнблауэр распорядился разгружать и вести мулов обратно к пушкам, сам же поскакал дальше.

Уже в полумиле от расщелины он наткнулся на первую пушку. Эти полмили дорога имела довольно крутой уклон от берега, люди и лошади с усилием тащили вверх чугунную махину. При виде Хорнблауэра матросы закричали «ура!»; он помахал шляпой и постарался выпрямиться в седле, как заправский ездок. Хорошо, хоть Браун сидит в седле еще хуже, по сравнению с ним любой покажется наездником. Вдалеке щелкали выстрелы, неестественно громкие в нагретом воздухе — это Лайрд отстреливался от наступающих французов.

Хорнблауэр поехал дальше, Браун и Лонгли за ним, мимо моряков, волокущих по крутым склонам тяжелые пушки, туда, где стреляли. В одном месте он увидел брошенные испанцами ядра. До корабля их не дотащить — придется оставить. Неожиданно для себя он оказался на месте боевых действий. Здесь каменистое нагорье состояло из череды бугров и западин, густо заросших кустарником. Несмотря на стрельбу, кузнечики стрекотали все так же громко. Лайрд построил своих людей за невысокой грядой, сам же стоял на каменной глыбе. В одной руке у него был лиловый носовой платок, в другой — обнаженная шпага. Кругом свистели пули, тем не менее вид у Лайрда был самый что ни на есть довольный, и на Хорнблауэра он поглядел словно художник, которого отвлекли от создания шедевра.

— Все в порядке? — спросил Хорнблауэр.

— Так точно, — отвечал Лайрд и нехотя добавил: — Посмотрите сами.

Хорнблауэр слез с лошади, вскарабкался на глыбу и осторожно утвердился на скользком камне рядом с майором.

— Мы имеем возможность наблюдать, — наставительно сообщил Лайрд, — что на пересеченной местности организованному войску следует держаться дороги. Разрозненные отряды быстро теряют направление, а колючая растительность как нельзя лучше препятствует перемещениям.

С глыбы Хорнблауэр видел зеленое море — почти непроходимые средиземноморские «мак*и*»[1], среди которых еле-еле угадывались алые мундиры морских пехотинцев. То там, то сям плыли по воздуху дымки от выстрелов. На противоположном склоне кусты шевелились и тоже плыли дымки. Хорнблауэр видел белые лица, синие мундиры, а временами и белые штаны продиравшихся сквозь заросли французов. Дальше была дорога, и по ней двигалась

[1] Maquis – в средиземноморских странах – густые колючие заросли, состоящие преимущественно из терновника, мирта, земляничного дерева и вереска.

пехотная колонна. Над головой у Хорнблауэра просвистели две-три ружейные пули.

— Мы здесь в полной безопасности, — продолжал Лайрд — пока неприятель не обошел нас с фланга. Поглядев направо, мы можем видеть, что по параллельной дороге наступает французский полк. Как только он дойдет вот до того тернового куста, мы должны будем отступить на другую позицию. К счастью, дорога эта представляет собой всего лишь козью тропу неопределенного направления. Возможно, она вовсе и не выведет к этому терновому кусту.

Хорнблауэр взглянул туда, куда указывал Лайрд, и увидел цепочку движущихся киверов. Цепочка изгибалась, подтверждая слова Лайрда, что там не дорога, а всего лишь узкая тропинка. Мимо опять просвистела пуля.

— Французы, — заметил Лайрд, — стреляют еще хуже, чем под Майдой, где я имел честь служить под началом сэра Джона Стюарта. Они вот уже полчаса безуспешно пытаются в меня попасть и явно не попадут. Однако теперь, когда нас двое, их шансы удвоились. Я бы посоветовал вам, сэр, слезть с камня и проследить, чтобы колонна двигалась побыстрее.

Они скрестили взгляды. Хорнблауэр отлично знал, что прикрывать отступление — дело Лайрда, и, поскольку тот отлично справляется, нечего ему мешать. Не слезал же он потому, что боялся показаться трусом. Тут пуля чуть не сбила с него треуголку — он еле успел подхватить.

— Та колонна, — спокойно заметил Лайрд, — приближается к терновому кусту. Должен официально просить вас, сэр, — он растянул длинное слово, так что получилось «офиссиа-а-ально», — вернуться на дорогу до того, как я скомандую отступать. Передислокация будет происходить по необходимости поспешно.

— Очень хорошо, майор. — Хорнблауэр против воли улыбнулся и по возможности достойно сполз с камня. Он сел на лошадь и рысью поскакал по дороге. Сняв треуголку, он не без гордости обнаружил, что пуля пробила золотой позумент и прошла в двух дюймах от головы — а ведь он ничуть не испугался.

Там, где дорога взбиралась на очередной перевал, он вновь натянул поводья — выстрелы за спиной щелкали чаще.

Он подождал. На дороге появились бегущие пехотинцы с капитаном Моррисом во главе. Не обращая на Хорнблауэра внимания, они рассыпались в кустах по сторонам дороги, ища откуда удобнее будет прикрывать отступление товарищей. Затрещали выстрелы, и на дороге появились остальные пехотинцы, впереди майор Лайрд, позади молодой лейтенант и еще человек шесть сдерживали французов предупредительными выстрелами.

Убедившись, что отступление прикрыто надежно, Хорнблауэр поехал туда, где у подножия склона застряла последняя пушка. Усталые лошади оступались на каменистой почве, копыта скользили. Матросы и понукали, и сами тянули, но их было всего шестеро, а не пятьдесят, как на пути сюда. Пришлось им подсунуть под колеса ломы и так фут за футом выталкивать пушку. Напряженные голые спины — рубахи скинули почти все — лоснились от пота. Хорнблауэр ломал голову, что бы им такое сказать.

— Давай, налегай, ребята. У Бони нет таких славных пушечек. Не позволим, чтобы из-за даго они достались ему в подарок на день рождения.

Испанская колонна длинным червем взбиралась по крутому склону столовой возвышенности. Хорнблауэр провожал их ненавидящим взглядом. Испанцы! Гордый народ, которому гордость не мешает выпрашивать подачки, который люто ненавидит чужестранцев и почти так же — соотечественников. Этот народ невежествен, доведен до нищеты дурными правителями, промотавшими богатства, которыми щедро одарила природа этот благодатный край. Такая Испания неизбежно привлекает завоевателей, и если французы еще не покорили ее, за это надо благодарить англичан. Со временем распри между либералами и консерваторами разорвут страну на куски, и в это смутное время европейские державы, сговорившись, поспешат расхватать, что плохо лежит. Столетия гражданских войн и вторжения извне ждут Испанию, если испанцы не наведут порядок в собственном доме.

Хорнблауэр с трудом оторвался от абстрактных рассуждений и постарался вернуться к более насущным задачам. Надо было отослать освободившихся вьючных мулов к пушкам, перераспределить усталых людей, быстрее перетащить оставшийся груз: беспорядочная стрельба позади напоминала, что его люди несут потери, чтобы этот самый груз не достался неприятелю. Решительно запретив себе сомневаться — а стоит ли игра свеч, — Хорнблауэр ударом шпор погнал по дороге обессиленную лошадь.

По крайней мере половина пушек была уже на берегу — спустить их по расщелине на песок будет уже не так трудно, — остальные быстро приближались к устью расщелины, с берега все припасы перегрузили в шлюпки, и первую пушку затаскивали на понтон. Распоряжавшийся работой Кавендиш повернулся к Хорнблауэру.

— Как быть с лошадьми и мулами, сэр?

Перевезти в шлюпках сто пятьдесят животных не легче, чем перевезти пушки, да и на борту с ними хлопот не оберешься. Однако нельзя допустить, чтобы они достались французам — сейчас в Испании это самый дорогой трофей. Разумнее всего было бы заколоть их на берегу. Однако ценность их слишком велика. Если погрузить животных на корабли, можно позднее передать их испанцам. А жуткая бойня на берегу подействовала бы на матросов хуже, чем беспорядочное бегство. Кормить животных можно сухарями — судя по их виду, им и это покажется отличной кормежкой. Проблема питьевой воды тоже разрешима. Лайрд надежно прикрывает отступление, солнце быстро садится за столовой возвышенностью.

— Пошлите их на борт с другими припасами, — сказал Хорнблауэр, помолчав.

— Есть, сэр, — отозвался Кавендиш, не подавая виду, о чем думает — думать же он мог только о том, что легче затащить в шлюпки и поднять на борт пушки, чем мулов.

Погрузка продолжалась. Одна из пушек, со свойственной ее племени злокозненностью, по пути через расщелину свалилась с лафета, но матросы не растерялись — ломами столкнули железную махину на песок и покатили, как бочку, на понтон и дальше в баркас. Корабельными талями ее можно будет без труда уложить на лафет. Хорнблауэр слез с лошади, и матросы повели ее к шлюпке, сам же пешком поднялся на вершину обрыва, выбрал место, откуда видел и берег, и устье расщелины, где укрепился Лайрд.

— Беги к майору Лайрду, — приказал он Брауну, — и скажи: все уже на берегу.

Тут все начало меняться очень быстро. Видимо, когда Браун подбежал к пехотинцам, те уже отступали, торопясь занять позицию на краю обрыва, примерно там же, где стоял сам Хорнблауэр. Французы следовали по пятам —

Хорнблауэр видел, как мельтешат в кустах синие мундиры. Выстрелы гремели, не умолкая.

— Берегитесь, сэр! — закричал вдруг Лонгли. Он сильно толкнул капитана вбок, так что тот, чуть не упав, спрыгнул с большого плоского камня. Над головой у него просвистели две или три пули. В то же мгновение он увидел, что человек пятьдесят французов бегут к нему: они были между ним и ближайшими морскими пехотинцами. Единственный путь к отступлению лежал через обрыв, и решаться надо было немедленно.

— Сюда, сэр! — завопил Лонгли. — Вниз!

Он спрыгнул на узкий карнизик и замахал Хорнблауэру руками. Двое солдат бежали со штыками наперевес, один что-то выкрикивал, но что, Хорнблауэр не разобрал. Он прыгнул вслед за Лонгли на узкую приступочку футах в десяти под обрывом, едва не промахнулся и с трудом устоял над стофутовой пропастью. Лонгли поймал его за руку и, отклонившись назад, принялся сосредоточенно и до жути спокойно разглядывать предстоящий спуск.

— Лучше сюда, сэр, видите тот куст? Если до него доберемся, значит, спустимся. Оттуда идет что-то вроде расщелины вон к той, побольше. Можно я первый, сэр?

— Да, — сказал Хорнблауэр.

Над головой прогремел выстрел. Пуля пролетела так близко, что щеку обдало ветром — французы стреляли, перегнувшись через край обрыва. Лонгли собрался с духом и прыгнул, проехался в облаке пыли вместе с лавиной щебня и уцепился за куст, на который показывал Хорнблауэру. Осторожно нащупав опору для ног, он вновь позвал капитана. Хорнблауэр уговаривал себя, что надо прыгать, и никак не мог решиться. Еще пуля — на сей раз она ударила в карниз у его ног. Повернувшись лицом к обрыву,

Хорнблауэр тяжело сполз с карниза и заскользил вниз, чувствуя, как рвется о камни одежда. Он въехал в куст, с треском ломая ветки, и судорожно вцепился, ища на что бы встать.

— Сюда, сэр. Хватайтесь рукой за этот камень. Ногу ставьте в трещину. Нет! Не эту ногу! Другую!

От волнения голос у Лонгли срывался на писк, как у летучей мыши, он сам полз по склону и одновременно советовал капитану, куда перехватывать руки и переставлять ноги. Хорнблауэр висел на обрыве, как муха на оконном стекле. Руки и ноги ныли от напряжения после бессонной ночи и трудного дня. Пуля попала в камень между ним и мичманом, отскочивший камешек больно ударил в колено. Хорнблауэр поглядел вниз: голова у него закружилась. Сейчас бы отпустить руки и падать, падать навстречу скорой смерти.

— Сюда, сэр! — звал Лонгли. — Осталось немного, сэр. Не смотрите вниз!

Хорнблауэр с трудом очнулся. Следуя советам Лонгли, он перехватил руки, нащупал ногой следующую зацепку. Дюйм за дюймом они карабкались вниз.

— Минуточку, — сказал Лонгли. — Можете стоять, сэр? Тогда подождите здесь, пока я разведаю.

Хорнблауэр припал лицом к обрыву и замер, изнемогая от усталости и страха. Тут Лонгли снова позвал.

— Все в порядке, сэр. Только один нехороший кусок. Поставьте ногу на этот уступчик, сэр, где трава.

Предстояло миновать выпирающий из стены камень; в какую-то ужасную секунду Хорнблауэр не нашел опоры и вынужден был, стоя на одной ноге и цепляясь правой рукой, перехватывать левую.

— Они нас здесь не видят, сэр. Можно немного отдохнуть, если хотите, — заботливо сказал Лонгли.

Хорнблауэр лежал в узкой ложбинке на склоне, ощущая блаженную расслабленность. И вдруг он вспомнил все: свое достоинство, кипящую на берегу работу, бой на вершине обрыва. Он сел и поглядел вниз: карниз был довольно широкий, и он мог глядеть, не боясь, что закружится голова. Вечер сгущался, пушек на берегу не было, в шлюпки загружали последних мулов. Пальба наверху стихла: то ли французы отчаялись, то ли собирают силы для нового наступления.

— Вперед! — резко сказал Хорнблауэр.

Дальше спускаться было легко. Они то съезжали, то карабкались вниз, пока не ощутили под ногами долгожданный песок. Неизвестно откуда возник встревоженный Браун и, увидев капитана, просиял. Кавендиш наблюдал за отправкой последнего тендера.

— Очень хорошо, мистер Кавендиш. Можете грузить матросов. Прислали шлюпки для прикрытия?

— Да, сэр.

Почти стемнело. В сумерках морские пехотинцы спускались по расщелине на песок. Последними в этот день стреляли погонные четырехфунтовые пушки с баркасов, которые стояли, уткнувшись носами в песок, пока последние солдаты бежали к ним по воде. Длинные алые языки пламени озарили высыпавших на берег французов, картечь ударила в плотную человеческую массу, закричали, падая, люди, и слышать это было отрадно.

— Очень удовлетворительная операция, — произнес майор Лайрд — он сидел на кормовом сиденье баркаса рядом с Хорнблауэром.

Отупевший от усталости Хорнблауэр склонен был согласиться, хотя и дрожал от холода. Он промок, пока залезал в баркас, руки саднило от царапин и ссадин, а другие части тела так натерло седлом, что казалось, он сидит на горящих угольях. Матросы гребли к кораблю, от которого доносилось непривычное конское ржание и пахло конюшней.

Хорнблауэр, спотыкаясь, поднялся на борт. Державший фонарь боцманмат удивленно уставился на порванную одежду и белое от усталости лицо. Глядя перед собой невидящими глазами, капитан прошел мимо лошадей и мулов, привязанных за головы и ноги к рымболтам, к себе в каюту. Надо написать рапорт адмиралу — нет, он сделает это утром. Палуба, казалось, ритмично вздымалась и падала под ногами. Полвил был в каюте, на освещенном свечами столе ждала еда, но Хорнблауэр потом не вспомнил, чтобы что-нибудь ел. Он смутно припоминал, что Полвил помог ему раздеться, но вот что отпечаталось в памяти совершенно отчетливо, так это слова Полвила, спорившего за закрытой дверью с часовым. «Хорни не виноват», — наставительно внушал Полвил. И тут Хорнблауэр провалился в сон. Спал он крепко, хотя даже во сне не отпускали саднящая боль, ломота во всем теле и память пережитых испытаний. Хуже всего был мучительный страх на обрыве.

XIX

Бурные воды Лионского залива пестрели белыми барашками, под серым небом «Сатерленд» переваливался с боку на бок. Капитан стоял на кренящихся шканцах, с удовольствием подставив лицо холодным порывам ветра. Мистраль свистел и завывал в ушах. Со времени кошмарной авантюры под Росасом прошло три недели, две недели назад удалось избавиться от лошадей и мулов, запах конюшни почти выветрился, палубы вновь сияли чистотой. Что гораздо важнее, «Сатерленд» отрядили наблюдать за французским побережьем вплоть до Тулона; избавившись от обременительной власти адмирала, Хорнблауэр вдыхал свежий воздух с радостью отпущенного на свободу раба. Муж леди Барбары — не тот человек, под началом которого приятно служить.

Вся команда словно заразилась этим ощущением свободы, а может — устала после жаркого затишья и теперь радовалась перемене. Подошел Буш, потирая руки и улыбаясь, как горгулья.

— Задул ветерок-то, сэр, — сказал Буш, — и еще разойдется.

— Похоже на то, — сказал Хорнблауэр.

Он тоже улыбался. Жизнь в нем кипела и била ключом. Как прекрасно — нестись против свежего ветра и сознавать, что от ближайшего адмирала тебя отделяет по меньшей мере сотня миль. В Южной Франции ворчат и жалуются, французы кутаются в плащи, но здесь, в море, ветер радует и бодрит.

— Займите матросов по вашему усмотрению, мистер Буш, — великодушно сказал Хорнблауэр. В нем вдруг проснулась бдительность и он поспешил выпутаться из соблазнительных тенет пустого разговора.

— Есть, сэр.

Юный Лонгли прошел на корму со склянками, чтобы приступить к ежечасному бросанию лага. Мальчик держится уверенно, приказы отдает без усилия. Он единственный из всех мичманов определяет счисление пути без принципиальных огрехов, а события на обрыве показали, что соображает он быстро и решительно. В конце плаванья, если представится такая возможность, надо назначить его исполняющим обязанности лейтенанта. Наблюдая, как мальчик отмечает на курсовой доске пройденный за час путь, Хорнблауэр гадал: не будущий ли это Нельсон, которому предстоит со временем командовать сорока линейными кораблями?

У Лонгли было некрасивое, почти обезьянье, личико, жесткие торчащие волосы, но вместе с тем он чем-то неотразимо располагал к себе. Если бы маленький Горацио не умер от оспы в Саутси и вырос таким, Хорнблауэр бы им гордился. Может быть, так бы оно и было — но таким замечательным утром не след вгонять себя в меланхолию мыслями о маленьком мальчике, которого любил. Когда он вернется домой, у него будет еще ребенок. Хорнблауэр надеялся, что мальчик, он был почти уверен, что Мария хочет того же. Конечно, никакой маленький мальчик не заменит ему Горацио — на Хорнблауэра вновь навалилась тоска: он вспомнил, как Горацио, заболевая, звал: «Папа! Хочу к папе!» и потом прижался личиком к его плечу. Он постарался отогнать печальные воспоминания. Когда он вернется в Англию — даже если ничего непредвиденного не произойдет, — ребенок будет ползать по полу с детским бестолковым усердием. Может быть, он будет немного говорить и заробеет в присутствии незнакомого папы, так что Хорнблауэру придется завоевывать его доверие и любовь... Это — приятная задача.

Мария хочет пригласить леди Барбару в крестные — хорошо бы леди Барбара согласилась. За будущее ребенка, которому покровительствуют Уэлсли, можно не волноваться. Несомненно, именно покровительству Уэлсли обязан нынешним своим положением во главе эскадры злополучный Лейтон. Благодаря тому же покровительству Хорнблауэр оказался в эскадре, не проведя на половинном жалованье и дня — тут двух мнений быть не может. Он по-прежнему не знал, что при этом двигало леди Барбарой, но таким чудесным утром почти отваживался думать, что она сделала это из любви к нему. Ведь не из-за одного же уважения к его профессиональным качествам! А может быть, она снисходительно облагодетельствовала забавного воздыхателя, который неизмеримо ниже ее.

Мысль эта его задела. Когда-то она была в его власти. Он целовал ее, держал в объятиях. Неважно, что он побоялся ее взять — он не будет сейчас об этом думать, — она предложила, и он отказался. Он ее отверг — после этого она не имеет права держаться патронессой! Он сердито топнул ногой. Но сердитой ясности в мыслях хватило ненадолго. Образ хладнокровной, сдержанной леди Барбары, идеальной хозяйки дома, адмиральской супруги, заслонила другая леди Барбара: нежная, влюбленная, такая красивая, что захватывает дух. Сердце разрывалось от страстного желания, от одиночества, от тоски, его до боли влекло к ней: несказанно нежной, отзывчивой и доброй, какой она ему сейчас представлялась. Он вспомнил сапфировый кулон у нее на груди и вместе с мальчишеским обожанием почувствовал неодолимое, животное вожделение.

— Вижу парус! — закричал впередсмотрящий, и мечтания как рукой сняло.

— Где?

— Точно на ветре, сэр, и быстро приближается.

Порывистый норд-ост идеально благоприятствует французским судам, вздумай кто из них прорвать блокаду Марселя или Тулона. Британская эскадра вынуждена сместиться под ветер, французам же попутный мистраль поможет выбраться из гавани после заката и за ночь покрыть большое расстояние. Если это так, французское судно не уйдет от «Сатерленда», который от него под ветром. Пока в независимых операциях Хорнблауэру везло — может быть, это приближается еще один его будущий трофей.

— Так держать, — сказал Хорнблауэр на вопросительный взгляд Буша. — И свистать всех наверх, пожалуйста, мистер Буш.

— Эй, на палубе! — крикнул впередсмотрящий. — Это фрегат, похоже, британский.

Обидно. Пятьдесят против одного, что присутствие здесь британского фрегата не обещает стычки с врагом. Со шканцев уже можно было различить марсели, белые на фоне серого неба.

— Прошу прощения, сэр, — сказал заряжающий одной из левых шканцевых каронад. — Стеббинс говорит, он знает, что это за корабль.

Стеббинс был одним из тех, кого завербовали с Ост-Индийского каравана — пожилой моряк с проседью в бороде.

— Похоже на «Кассандру», тридцать две пушки. Она нас провожала в прошлом рейсе.

— Капитан Фредерик Кук, сэр, — добавил Винсент, перелистав страницы.

— Запросите позывные и убедитесь, — приказал Хорнблауэр.

Кук стал капитаном на шесть месяцев позже него, в случае совместных действий Хорнблауэр будет старшим.

— Да, «Кассандра» и есть, сэр, — сказал Винсент, читая в подзорную трубу взмывшие на фор-марса-рее флажки.

— У них шкоты пущены по ветру, — не без волнения в голосе произнес Буш. — Странно мне это, сэр.

В незапамятные времена, до изобретения флажковой азбуки, шкоты пускали по ветру, чтобы предупредить всех и каждого о приближении флота — в таком значении сигнал сохранился и по сю пору.

— Она снова сигналит, сэр, — сказал Винсент. — Трудно прочесть — флажки относит прямо от нас.

— Черт, — взъярился Буш. — Разуй глаза и не оправдывайся!

— Числительные: «четыре». Буквенные: «семнадцать» — «за кормой... на ветре... курс... зюйд-вест», — переводил Лонгли по сигнальной книге.

— Корабль к бою, мистер Буш. И курс фордевинд.

Не дело «Сатерленду» в одиночку сражаться с четырьмя французами. Если их преследуют британцы, он преградит противнику путь и покалечит по крайней мере два корабля, но пока ситуация не прояснилась, лучше держаться подальше.

— Спросите: есть ли близко британские суда? — сказал Хорнблауэр Винсенту. Тем временем «Сатерленд» накренился и вновь выровнялся, уже с полным ветром.

— Ответ отрицательный, сэр, — сказал Винсент через минуту. Голос его тонул в грохоте убираемых переборок.

Все, как Хорнблауэр и предполагал. Британскую эскадру снесло под ветер, и четыре французских линейных корабля выскользнули ночью из Тулона. Заметила их только «Кассандра», фрегат-наблюдатель, и понеслась впереди, чтобы не упустить из виду.

— Спросите: где неприятель? — сказал Хорнблауэр. Занятное упражнение — вспоминать сигнальную книгу и формулировать вопросы так, чтобы использовать минимум флажков.

— «Шесть... миль... за кормой... направление... норд-ост», — расшифровывал Лонгли числа, которые читал Винсент.

Значит, французы несутся по ветру. Возможно, они просто хотят подальше оторваться от блокадной эскадры, однако раз тот, кто у них за главного, это делает, значит, курс отвечает его планам. Таким образом, начисто исключаются Сицилия, Адриатика и Восточное Средиземноморье, остается испанское побережье возле Барселоны и все, что за Гибралтарским проливом.

Хорнблауэр на шканцах пытался поставить себя на место Бонапарта в Тюильри. За Гибралтарским проливом — Атлантический океан и весь мир. Однако что делать там французским линейным кораблям? Французская Вест-Индия в руках англичан, мыс Горн тоже, Маврикий скоро падет. Быть может, эскадра движется наперехват торговому каравану, но в таком случае дешевле и надежнее было бы отрядить четыре фрегата. Нет, это не похоже на Бонапарта. С другой стороны, со времени появления Лейтона у берегов Каталонии прошло как раз столько времени, чтобы успели доложить в Тюильри и принять ответные меры.

Меры в духе Бонапарта. Три британских корабля у берегов Каталонии? Послать против них четыре французских. Команду снять с гниющих в Тулоне судов. Погрузить припасы, которых не хватает в Барселоне, уничтожить британскую эскадру, если удастся, и вернуться, если все пойдет хорошо. Через неделю корабли, целые и невредимые, будут в Тулоне, а если нет — что ж, не разбив яиц, не приготовить омлет.

Это скорее всего и замыслили французы. Хорнблауэр готов был поручиться головой, что разгадал их планы.

Теперь главное, как эти планы спутать. Для начала он должен держаться между французами и местом их назначения — тут двух мнений быть не может. Во-вторых, желательно, чтобы французы как можно дольше его не замечали: когда они неожиданно обнаружат на своем пути кроме фрегата еще и мощный линейный корабль, бой будет наполовину выигран. Это значит, что его первое интуитивное движение оказалось верным, и нынешний курс «Сатерленда» отвечает обеим поставленным целям — Хорнблауэр гадал, неужто его подсознание одним прыжком получило результат, к которому рассуждения привели только сейчас. Оставалось известить «Плутон» и «Калигулу». Три британских линейных корабля и фрегат сильнее четырех французских линейных кораблей, что бы ни думал по этому поводу Бонапарт.

— Корабль к бою готов, — доложил, козыряя, Буш. Глаза его горели предвкушением боя. Хорнблауэр жалел, что не принадлежит к этому типу людей — к тем, кого схватка влечет сама по себе, кто любит опасность ради опасности, кого не смущает численный перевес противника.

— Отпустите подвахтенных, мистер Буш, — сказал Хорнблауэр.

Бой еще нескоро, и незачем томить людей на постах. Лицо у Буша сразу поскучнело. Значит, «Сатерленд» не собирается сию минуту в одиночку бросаться на четверых.

— Есть, сэр, — отвечал Буш без энтузиазма.

Надо сказать, что Буш был по-своему прав. При должной сноровке «Сатерленд» успеет сбить мачты у двух или трех французов, так что раньше или позже те достанутся в добычу британцам. Сегодня ветер попутный, завтра он встречный. Если известить «Плутон» и «Калигулу», они еще могут подоспеть.

— Дайте мне сигнальную книгу, — сказал Хорнблауэр Лонгли.

Он перелистал страницы, освежая в памяти сигналы. Когда посылаешь длинное сообщение, всегда есть риск, что тебя неправильно поймут. Однако, составляя текст, Хорнблауэр теребил подбородок не по одной названной выше причине. Как любой британский офицер, отступая, он рисковал быть понятым неверно. Конечно, даже привыкшая к победам британская публика не осудит капитана, отказавшегося в одиночку биться с четырьмя французами, однако если что-нибудь пойдет не так, Уэлсли, возможно, захотят свалить вину на него — приказ, который он сейчас отдаст, приведет к победе или к поражению, к трибуналу или к одобрению парламента.

— Пошлите это, — коротко велел он Винсенту.

Цепочка за цепочкой вползали на мачту флажки. «Кассандре» предписывалось поднять все паруса соответственно погоде, повернуть на запад, разыскать «Плутон» и «Калигулу» — где именно они находятся, Хорнблауэр сообщить не мог — и привести их к Барселоне. Фразу за фразой «Кассандра» подтверждала сигналы. Затем, после паузы, Винсент доложил.

— «Кассандра» сигналит, сэр. «Полагаю...»

Впервые это слово обращали к Хорнблауэру. Он так привык предварять им свои послания адмиралам и старшим капитанам, так часто употреблял в донесениях, и вот другой офицер сигналит ему: «полагаю». Это — ощутимый знак его растущего старшинства. У Хорнблауэра по телу пробежала дрожь — он не испытывал такого трепета даже тогда, когда впервые поднялся на борт капитаном и услышал приветственный свист дудок. Однако за словом «полагаю», естественно, последовали возражения. Кук нимало не желал, чтобы его отослали с арены боевых дей-

ствий. Он полагал, что «Кассандра» могла бы оставаться на расстоянии видимости от французских кораблей.

— Сигнальте: «Действуйте соответственно с подтвержденными приказами», — сказал Хорнблауэр резко.

Кук не прав, он сам — прав: возражения Кука помогли ему определиться. Назначение фрегата — поддерживать связь между линейными кораблями. Их для этого и строят. Любой из французов уничтожит «Кассандру» первым же бортовым залпом, однако она может привести «Плутон» и «Калигулу», стократ более мощные. Сердце Хорнблауэру согревала мысль, что он не только прав, но и может настоять на правильном решении. Кук, которого произвели в капитаны на шесть месяцев позже, подчинится сейчас и будет подчиняться всю жизнь. Если они оба когда-нибудь станут адмиралами, Кук будет младшим, Хорнблауэр — старшим. На «Кассандре» отдали рифы, и фрегат устремился на запад — сейчас ее пятиузловое превосходство в скорости используется наилучшим образом.

— Убавьте паруса, мистер Буш, — сказал Хорнблауэр.

Французы увидят, что «Кассандра» исчезла за горизонтом; остается шанс, что «Сатерленд» сможет незаметно держать их под наблюдением. Хорнблауэр сложил подзорную трубу, сунул в карман и степенно, с некоторым даже усилием полез на бизань-ванты. Он рисковал достоинством — любой другой человек на корабле лазал на мачту быстрее, — однако нужно было самому взглянуть на неприятеля. Корабль тяжело кренился на волнах, ветер свистел. Хорнблауэр лез, не останавливаясь, делая вид, будто ничуть не устал и не боится, а просто не торопится в силу важности своего положения.

Наконец он надежно укрепился на крюйс-стень-салинге и направил подзорную трубу к колеблющемуся горизонту.

Когда убрали грот-марсель, «Сатерленд» существенно замедлился — скоро появятся французы. И впрямь — из-за горизонта вынырнул белый прямоугольник, за ним другой, потом еще два.

— Мистер Буш, — закричал Хорнблауэр. — Поставьте пожалуйста, грот-марсель! И пришлите сюда мистера Сэвиджа.

Четыре французских корабля шли развернутым строем, по обычной французской расхлябанности растянувшись так, что между кораблями получалось более полумили — а может, французские капитаны избегают идти ближе из опасения столкнуться. Сто против одного, что их впередсмотрящие не заметили белого пятнышка на горизонте.

На салинг вскарабкался нимало не запыхавшийся Сэвидж.

— Берите подзорную трубу, — сказал Хорнблауэр. — Видите французскую эскадру? Немедленно сообщите, если они изменят курс или начнут нас догонять.

— Есть, сэр, — отвечал Сэвидж.

Все, что от него требовалось, Хорнблауэр сделал. Оставалось спокойно ждать следующего утра. Завтра будет бой, равный или безнадежный, а если боя не будет — значит, он упустил французов и предстанет перед трибуналом. Он тщательно сохранял невозмутимый вид. В соответствии со старой традицией, сейчас следовало бы пригласить офицеров на ужин с вистом.

XX

Диспозиция отбила бы сон у доброго большинства капитанов: надо не потерять из виду четыре неприятельских линейных корабля на ветре, а в голове то подспудно, то осознанно прокручивается: какова вероятность, что «Кассандра» успеет предупредить Лейтона, и если успеет, то какова вероятность, что Лейтон вовремя перережет французам путь. Погода неустойчивая — вечером штормило, к полуночи ветер стих, потом усилился, потом, с обычной средиземноморской непредсказуемостью, вновь начал слабеть.

Хорнблауэр не надеялся, что уснет. Он был слишком возбужден, слишком напряженно думал. Когда меняли вахту, он прилег отдохнуть и, твердо уверенный, что не заснет, провалился в тяжелый, без сновидений, сон, такой крепкий, что в двенадцать Полвил еле его добудился. Он вышел на палубу. Возле нактоуза стоял Буш.

— Темно, ничего не видать, сэр, — сказал тот и, не в силах перебороть волнение, ворчливо добавил: — Темно, как в карцере.

— Неприятеля видели?

— Кажется, да, сэр, полчаса назад, но точно не уверен.

А ветер стихает.

— Да, — сказал Хорнблауэр.

Как часто случается на море, оставалось терпеливо ждать. Два прикрытых шторками фонаря покачивались над главной палубой, вахтенные лежали у пушек, ветер перебирал ванты, корабль вздымался и падал на волнах с изяществом, какого никто не заподозрил бы, видя его идущим галфвинд. Итак, надо ждать. На палубе он будет только изводиться, обнаруживая перед всеми свою нервозность. С тем же успехом можно ждать внизу, где его волнение скроют висящие вместо переборок занавески.

— Увидите неприятеля, немедленно пошлите за мной, — сказал Хорнблауэр с напускной беспечностью и пошел вниз.

Он лег, продолжая напряженно думать и зная, что теперь уже точно не заснет. Таким твердым было это убеждение, что сон застиг его врасплох, навалился, пока он размышлял о «Кассандре», так что показалось — и двух минут не прошло, а как бы из другого мира донеслись слова Полвила:

— Мистер Джерард шлет свои приветствия, сэр, и сообщает, что становится светлее, сэр.

Хорнблауэр не без труда проснулся: только начав сонно переставлять ноги, он сообразил, что действительно спал и Полвилу пришлось его будить. Это хорошо. Можно представить, как Полвил рассказывает своим дружкам: такие, мол, у капитана железные нервы — спал себе преспокойно, когда весь корабль бурлил в ожидании боя.

— Есть что доложить, мистер Джерард? — спросил Хорнблауэр, выходя на шканцы.

— Нет, сэр. В две склянки задуло сильнее, и я вынужден был на час взять марсели в рифы. Однако теперь ветер стихает и поворачивает к зюйд-осту.

— Хм, — сказал Хорнблауэр.

Мглистое небо над горизонтом чуть-чуть посветлело, но видимость была еще не больше кабельтова. Ветер с зюйд-оста — почти встречный для идущих к Барселоне французов; для «Плутона» и «Калигулы» — лобовой.

— До того как начало светать, я, кажется, разглядел землю, — сказал Джерард.

— Да, — отозвался Хорнблауэр.

На этом курсе они должны были пройти мимо недоброй памяти мыса Креус. Хорнблауэр взял лежащую у нактоуза доску и по ежечасным замерам скорости вычислил, что сейчас до мыса миль пятнадцать. Если французы шли тем же курсом, они скоро окажутся на ветре от залива Росас, где в случае чего и укроются. Если нет, если они изменили курс, и ночью он их потерял... но о последствиях такого поворота событий невыносимо было даже думать.

Светало быстро. Облака на востоке начали редеть. Да, так и есть, редеют: на мгновение они разошлись, и там, где сходилось с небом испещренное барашками море, блеснула золотистая искорка. Длинный солнечный луч засиял над самыми волнами.

— Земля! — заорал впередсмотрящий.

На западе из-за изгиба земной поверхности выглядывали синеватые вершины испанских гор.

Джерард встревоженно взглянул на капитана, прошелся по палубе раз, другой, покусал костяшки пальцев и, не в силах больше сдерживаться, окликнул:

— Эй, на мачте! Неприятеля видите?

Казалось, прошли годы, прежде чем впередсмотрящий откликнулся:

— Нет, сэр. Ничего не видать, окромя земли по левому траверзу.

Джерард с новой тревогой взглянул на капитана, но Хорнблауэр, пока ждал ответа, успел сделать каменное лицо. Буш вышел на палубу, явно вне себя от волнения. Если четыре линейных корабля ушли без боя, значит, капитана до конца жизни спишут в запас, если не хуже. Хорнблауэр сохранял бесстрастное выражение: он гордился, что это ему удается.

— Пожалуйста, мистер Джерард, положите корабль на правый галс.

Возможно, французы ночью изменили курс и давно затерялись в западном Средиземноморье, однако Хорнблауэр в это не верил. Его офицеры не могут и вообразить, как расхлябанны и неумелы французы. Если Джерард вынужден был взять рифы, они вполне могли лечь в дрейф. И Буш, и Джерард не в меру ревностны — за ночь «Сатерленд», вполне возможно, оторвался миль на двадцать. Хорнблауэр не сомневался, что, вернувшись, увидит неприятеля.

Вернее, не сомневался в той мере, в какой это касалось его математического ума. Не в его власти было совладать с тошнотворной пустотой в груди, с участившимся пульсом, он мог только прятать их под маской невозмутимости, стоять, не шелохнувшись, хотя волнение гнало расхаживать взад-вперед. Тут он придумал занятие, которое поможет отвлечься и вместе с тем не выдаст его переживаний.

— Позовите моего вестового, — сказал он.

Руки почти не дрожали, так что он смог побриться, а искупавшись под холодной струей из помпы, даже приободрился по-настоящему. Он надел чистое белье, тщательно счесал на пробор редеющие волосы, даже слишком тщательно: еще под помпой он сказал себе, что французов увидят, пока он заканчивает туалет. Однако с пробором было покончено, ни малейших предлогов тянуть у зеркала не оставалось, а известий о неприятеле по-прежнему никаких. Хорнблауэр чувствовал себя жестоко обманутым. И вот, когда, надев сюртук, он уже ступил на трап, мичман Паркер звонко завопил:

— Вижу парус! Два... три паруса, сэр! Четыре! Это неприятель!

Хорнблауэр поднялся, не взбежал, по трапу. Он надеялся, что матросы это видят. Буш был уже на середине вант, Джерард быстрым шагом расхаживал по шканцам и только что не пританцовывал от радости. Глядя на них, Хорнблауэр самодовольно подумал, что и минуты не сомневался в своих выкладках.

— Поворот через фордевинд, мистер Буш. Положите корабль на левый галс.

Словоохотливый капитан не преминул бы объяснить, что нужно оставаться между Испанией и неприятелем, однако Хорнблауэр вовремя удержался от ненужных слов.

— Ветер по-прежнему поворачивает к зюйду, — сказал Джерард.

— Да, — ответил Хорнблауэр.

«А с течением дня еще и ослабеет» — подумал он.

Солнце пробилось сквозь облака, обещая теплый денек — осенний средиземноморский денек, когда барометр ползет вверх и ветра почти нет. Гамаки укладывали в сетки, те из вахтенных, кто не был занят у брасов и шкотов, стучали по палубе ведрами и кусками пемзы, флотская жизнь шла своим заведенным чередом. Палубы надо драить, даже если их сегодня же обагрит кровь. Матросы перебрасывались шуточками — Хорнблауэр, не без гордости наблюдая за ними, вспомнил угрюмых обреченных людей, с которыми выходил в плаванье. Сознание реальных заслуг — вот единственное, наверное, что принесла ему неблагодарная служба. Оно помогало забыть, что сегодня или завтра — во всяком случае, скоро — он в водовороте боя вновь испытает тошнотворный физический страх, которого так невыносимо стыдится.

Солнце поднималось выше, ветер стихал, по-прежнему становясь южнее, Испания делалась ближе и отчетливее. Хорнблауэр, сколько мог, поворачивал реи, ловя малейшие перемены ветра, потом все-таки лег в дрейф. Французская эскадра медленно приближалась. Теперь, когда ветер изменился, они потеряли преимущества наветренного положения: если они попробуют его атаковать, он двинется на север, так что, преследуя его, они будут приближаться к «Плутону» и «Калигуле» — жаль только, что надеяться на это почти не приходится. Французы прорвали блокаду не для того, чтобы лезть в драку, какая бы заманчивая наживка перед ними ни маячила. При таком ветре они могут идти к Барселоне и, если им не помешать, вряд ли откажутся от своего намерения! Что ж, коли помощь не подоспеет, он будет держаться в пределах видимости, а ночью кто-нибудь из них непременно отстанет, и «Сатерленд» его атакует.

— Они много сигналят, сэр, — доложил Буш, он давно разглядывал французов в подзорную трубу. Кстати, сигналили они весь день — началось это, когда они впервые увидели «Сатерленд». Им было невдомек, что к этому времени он наблюдал за ними уже пятнадцать часов. Французы и в море не теряют природной разговорчивости, а французскому капитану жизнь не мила, если он поминутно не сигналит спутникам.

«Сатерленд» миновал мыс Креус, с траверза открылся залив Росас. В этих самых водах, но в иных погодных условиях, они буксировали покалеченный «Плутон», на этих самых зеленых склонах потерпела поражение атака на Росас — в подзорную трубу Хорнблауэр различал даже обрывистые склоны месы, в которую Кларос увел своих каталонцев. Если ветер будет и дальше поворачивать к югу, французы успеют укрыться под пушками Росаса. Собственно, для них это убежище более надежное, чем Барселона — пока британцы не сумеют провести в залив брандеры или начиненные взрывчаткой суда.

Хорнблауэр взглянул на вымпел: ветер по-прежнему поворачивал против часовой стрелки. Сомнительно, чтобы французы обошли мыс Паламос на этом курсе — скоро надо ложиться на другой галс и пристраиваться в их кильватере. Переменчивая погода лишила его всех недавних преимуществ. Ветер налетал слабыми порывами — скоро уляжется совсем. Хорнблауэр обратил подзорную трубу на французов: что-то поделывают они? И увидел бегущие по далеким реям флажки.

— Эй, на палубе! — завопил с нока мачты Сэвидж.

Наступило молчания. Сэвидж, видимо, сомневался в том, что увидел.

— Что там, мистер Сэвидж?

— Мне показалось, сэр, что я увидел еще один парус, прямо на горизонте, позади неприятельского траверза, только точно не уверен, сэр.

Еще парус! Это может быть купеческое судно. Если нет, это «Плутон», «Калигула» или «Кассандра».

— Не спускайте с него глаз, мистер Сэвидж.

Долее ждать было невыносимо. Хорнблауэр уцепился за выбленки и полез вверх, долез, встал рядом с Сэвиджем и направил подзорную трубу туда, куда тот показывал. На секунду в поле зрения заплясала французская эскадра.

— Чуть-чуть левее, сэр. Вроде так, сэр.

Крохотный белый отблеск, однако не гребень волны и несколько иного оттенка, чем плывущие по синему небу облака. Хорнблауэр чуть не заговорил, однако сдержался и ограничился привычным «кхе-хм».

— Приближается к нам, сэр, — сказал Сэвидж, не отрываясь от подзорной трубы. — Я бы сказал, сэр, что это фор-бом-брамсель.

Сомневаться уже не приходилось. Какой-то корабль под всеми парусами несся к французской эскадре.

— Кхе-хм, — произнес Хорнблауэр и полез вниз.

Буш бегом спустился на главную палубу, чтобы встретить его у самой мачты; Джерард и Кристел взволнованно смотрели со шканцев.

— «Кассандра», — сказал Хорнблауэр. — Направляется к нам.

Желая похвалиться хорошим зрением, он рисковал достоинством. Никто бы не узнал «Кассандру» по одному бом-брамселю. Однако ни одно другое судно не могло идти этим курсом — или он очень сильно ошибается. Если это не «Кассандра», он выставил себя на посмешище, но уж больно велик был соблазн притвориться, будто он узнал фрегат, когда Сэвидж еще гадал: корабль это или облако.

Что значит появление «Кассандры», мигом поняли все.

— Где флагман и «Калигула»? — спросил Буш, ни к кому в особенности не обращаясь.

— Может, тоже приближаются? — сказал Джерард.

— Если так, лягушатникам придется несладко, — заметил Кристел.

Ветер порывистый, встречный, мыс Паламос близко, и, если «Плутон» и «Калигула» отрежут французов от моря, а «Сатерленд» — от берега, то без боя они не уйдут. Все глаза устремились на французскую эскадру: корабли были видны уже целиком и в крутой бейдевинд шли курсом зюйд-тень-вест, впереди трехпалубник, в кильватере два двухпалубника. На фок-мачтах первого и третьего реяли адмиральские флаги. Ясно видны были уже и широкие белые полосы на бортах. Если «Плутон» и «Калигула» далеко отстали от «Кассандры», то французы их еще не видят — тогда понятно, почему они не поворачивают.

— Эй, на палубе! — крикнул Сэвидж. — Это «Кассандра». Я вижу ее марсели, сэр.

Буш, Джерард и Кристел взглянули на Хорнблауэра уважительно: ради этого стоило рискнуть.

Паруса внезапно захлопали: дунув разок посильнее, ветер совсем ослабел и еще повернул к зюйду. Буш приказал круче обрасопить паруса, остальные во все глаза смотрели на французов.

— Поворачивают! — громко сказал Джерард. Так и есть: на этом курсе французы обойдут мыс Паламос, однако сейчас они неуклонно сближаются с британской эскадрой — если там есть британская эскадра.

— Мистер Буш, — сказал Хорнблауэр, — поворот оверштаг, пожалуйста.

— «Кассандра» сигналит флагману, сэр! — завопил Сэвидж.

— Бегом наверх! — приказал Хорнблауэр Винсенту и Лонгли.

Один с подзорной трубой, другой с сигнальной книгой, мичманы побежали по вантам, остальные встревоженно провожали их взглядами.

Значит, Лейтон за горизонтом, и французы, судя по всему, его не видят. Бонапарт мог приказать четырем французским линейным кораблям сразиться с тремя английскими, но французский адмирал, который лучше императора знает свою команду, до последнего будет уклоняться от боя.

— Эй, на мачте, что сигналит «Кассандра»? — крикнул Хорнблауэр.

— Далеко, плохо видно, но я думаю, сообщает новый курс неприятеля.

Еще час на таком курсе, и французы обречены, отрезаны от Росаса и не успеют добраться до Барселоны.

— Черт, опять поворачивают! — сказал вдруг Джерард.

Безмолвно они наблюдали, как четыре французских корабля привелись к ветру и увалились на другой галс. Они поворачивали, пока у всех четырех мачты не слились — теперь они шли прямо на «Сатерленд».

— Кхе-хм, — произнес Хорнблауэр, глядя, как надвигается его рок, и снова: — Кхе-хм.

Французские впередсмотрящие заметили верхушки лейтоновских мачт. До Росаса — шесть миль с попутным ветром, до Барселоны — сто и ветер почти встречный; французский адмирал, завидев незнакомые паруса, без долгих размышлений устремился к убежищу. Путь ему преграждает один-единственный линейный корабль — француз постарается обойти его или уничтожить.

У Хорнблауэра упало сердце, однако мысли неслись стремительно и четко. Французам надо пройти шесть миль с попутным ветром. Где Лейтон — по-прежнему неясно, но не ближе, чем в милях в двадцати. В лучшем случае ветер дует ему с траверза, в худшем — с левой скулы. Если ветер будет поворачивать и дальше, через два часа он станет для Лейтона встречным. Двадцать против одного, что адмирал не догонит французов и те успеют укрыться под пушками Росаса. Помешать этому могут лишь непредвиденные порывы ветра, и то — если «Сатерленд» успеет сбить достаточно неприятельских мачт перед тем, как его уничтожат. Так напряженно Хорнблауэр вычислял, что, лишь закончив, вспомнил: «Сатерленд» — его корабль, и решать ему.

Докладывал бледный от волнения Лонгли — он соскользнул по фордуну аж с топа стеньги.

— Винсент велел сказать, сэр. «Кассандра» сигналит, и он думает, это «Флагман “Сатерленду” номер двадцать один». Номер двадцать один — «вступить в бой», сэр. Но флажки прочесть трудно.

— Очень хорошо. Подтвердите.

По крайней мере, Лейтон взял на себя моральную ответственность бросить один корабль против четырех. В этом смысле он достоин руки леди Барбары.

— Мистер Буш, — сказал Хорнблауэр, — сейчас без четверти час. Проследите, чтобы за эти пятнадцать минут матросов покормили.

— Есть, сэр.

Хорнблауэр глядел на медленно приближающиеся корабли. Ему их не остановить, все, что он может — преследовать их до Росаса. Корабль, или корабли, у которых он собьет мачты, достанутся Лейтону; остальные надо покалечить так основательно, чтобы их не починили в убогом Росаском доке. Тогда они будут гнить в гавани, пока их разрушение не довершат брандеры, шлюпочная экспедиция или правильно организованная атака на крепость с суши. Хорнблауэр думал, что справится с задачей, но не находил в себе сил представить, что будет с «Сатерлендом». Он тяжело сглотнул и стал продумывать план первой стычки. Восемьдесят пушек первого французского корабля, уже выдвинутые, ухмылялись в открытые порты, над каждым из трех кораблей хвастливо реяли по четыре трехцветных флага. Хорнблауэр поднял глаза к синему небу, где трепался на ветру выцветший флаг красной эскадры, и вернулся к окружающей действительности.

— Команду к брасам, мистер Буш. И чтобы, когда время придет, повернули с быстротой молнии. Мистер Джерард! Канониров, которые выпалят раньше, чем пушка будет наведена, выпорю завтра всех до единого.

Матросы у пушек улыбались. Капитан знает: они и без угроз сделают для него все, что в их силах.

«Сатерленд» шел носом на приближающийся восьмидесятипушечный корабль, на самый его бушприт. Если оба капитана не изменят курс, корабли столкнутся и, вероятно, потонут. Хорнблауэр глядел на неприятельский корабль, ожидая, когда у его капитана дрогнут нервы, «Сатерленд» шел в самый крутой бейдевинд, паруса самую малость не хлопали. Если французскому капитану хватит ума привестись к ветру, «Сатерленд» не сможет причинить ему серьезного вреда, но все за то, что он будет тянуть с маневром до последнего, а потом, не полагаясь на неопытную команду, инстинктивно увалится под ветер. Когда расстояние между кораблями сократилось до полумили, над носом француза заклубился дым, и у британцев над головами просвистело ядро. Стреляли из погонных орудий. Нет нужды говорить Джерарду, чтобы тот не отвечал — он отлично знает цену первого, без спешки заряженного и наведенного бортового залпа. Корабли сближались. Две дыры появились в грот-марселе «Сатерленда» — Хорнблауэр так напряженно следил за неприятелем, что не слышал, как пролетели ядра.

— Куда он повернет? — спрашивал Буш, прихлопывая руками. — Куда повернет? Я не думал, что он продержится так долго.

Чем дольше, тем лучше: чем торопливее француз будет поворачивать, тем беспомощнее окажется. Бушприты разделяла уже какая-то сотня ярдов, и Хорнблауэр стиснул зубы, чтобы инстинктивно не скомандовать: «руль на борт!» Тут по палубе француза забегали, засуетились, и бушприт развернулся — по ветру!

— Не стрелять! — крикнул Хорнблауэр Джерарду, опасаясь, что тот выстрелит слишком рано.

Джерард ослепительно улыбнулся и махнул шляпой. Корабли поравнялись, между ними не было и тридцати футов, пушки француза указывали на «Сатерленд». В ярком солнечном свете Хорнблауэр видел, как блестят на французских офицерах эполеты, как наводчики баковых каронад, пригнувшись, визируют, цель. Пора.

— Руль на ветер, помалу, — приказал Хорнблауэр рулевому. Бушу, который предугадал маневр, хватило взгляда. «Сатерленд» начал медленно поворачивать через фордевинд, чтобы поравняться с кормой противника раньше, чем корабли сойдутся борт к борту. Буш командовал матросам у шкотов и брасов передних парусов, и тут, в дыму и грохоте, француз разразился первым бортовым залпом. «Сатерленд» задрожал, над головой у Хорнблауэра тренькнула, разорвавшись, бизань-ванта, из дыры в фальшборте полетели щепки. Однако нос «Сатерленда» почти касался неприятельской кормы. Французы заметались по шканцам.

— Так держать! — крикнул Хорнблауэр рулевому.

Один за другим гремели выстрелы: «Сатерленд» проходил у неприятеля за кормой, и пушка за пушкой стреляли каждая в свой черед, и каждый раз корабль кренился от отдачи, и каждое ядро прокладывало путь от неприятельской кормы до самого бака. Джерард одним прыжком очутился на шканцах — он пробежал всю главную палубу, останавливаясь у каждой стреляющей пушки, — склонился над ближайшей шканцевой каронадой, чуть изменил угол наклона, дернул шнур и махнул рукой, приказывая остальным канонирам повторить за ним. Каронады гремели, ядра с картечью косили вражеские шканцы. Французские офицеры падали, как оловянные солдатики. Большое кормовое окно исчезло, будто сдернули занавеску.

— Ну, угостили мы их на славу, — сказал Буш.

Такими бортовыми залпами выигрывают сражения. Вероятно, они вывели из строя половину команды, убили или ранили человек сто, сбили с лафета десяток пушек. В одиночном поединке француз спустил бы флаг меньше, чем через полчаса. Но теперь он удаляется, а их нагоняет другой француз, под контр-адмиральским флагом. «Сатерленд» заканчивал поворот, неприятельский корабль под всеми прямыми парусами подходил к его корме с наветренной стороны; через несколько минут он обстреляет «Сатерленд» продольным огнем, как тот обстрелял его товарища.

— Право руля! — скомандовал Хорнблауэр рулевому. — Приготовиться у пушек левого борта!

В наступившей после залпа тишине голос его прозвучал неестественно громко.

Француз надвигался, не отказываясь от поединка, но и не тщась маневрировать — это отняло бы время, он же торопился укрыться в Росасе, к тому же знал, что противник — маневреннее. Он шел наперерез «Сатерленду». Слышно было, как французские офицеры взволнованно выкрикивают приказы, сдерживая рвущихся в бой канониров.

Это им не вполне удалось. Сперва одна, потом другая пушка выстрелили раньше времени — Бог весть, куда угодили ядра. Хорнблауэр развернул «Сатерленд» почти параллельно противнику и махнул Джерарду. Оба корабля дали залп с интервалом не более полсекунды; «Сатерленд», накренившийся от отдачи, еще сильнее накренился от ударивших в него ядер. В ушах стоял треск ломающейся древесины вопли и крики раненых.

— Стреляй, ребята! Стреляй, как зарядите! — орал Джерард.

Не зря он столько гонял матросов на учениях. Банники вошли в дымящиеся жерла, порох, прибойники и ядра не заставили себя ждать. Почти хором загремели по палубе катки, почти хором взревели пушки. На сей раз между залпом с «Сатерленда» и нестройным ответом противника получился некоторый разрыв. Слабый ветер не мог разогнать дым, и Хорнблауэр видел артиллеристов главной палубы, словно в густом тумане, но мачты и паруса француза, как ни в чем не бывало, торчали на фоне синего неба. Третий залп с «Сатерленда» последовал сразу за вторым с француза.

— Три на два, обычное дело, — хладнокровно заметил Буш. Ядро попало в кнехт бизань-мачты и осыпало палубу щепками. — А он по-прежнему нас перегоняет, сэр.

Ужасающий грохот мешал сосредоточиться. Кругом гибли люди. Капитан Моррис и его пехотинцы с переходного мостика стреляли по вражеской палубе из ружей: расстояние между кораблями было меньше ружейного выстрела. Теперь и «Сатерленд» палил нестройно, более опытные расчеты заряжали и выдвигали быстрее. Иногда несколько пушек выстреливали одновременно, и тогда грохот получался еще оглушительнее — так четверка лошадей на каменистой дороге выстукивает копытами то в унисон, то снова вразнобой.

— Кажись, пореже стреляют, — сказал Буш. — И неудивительно.

Убитых на главной палубе не так много, «Сатерленд» еще поборется.

— Гляньте на их грот-мачту, сэр! — завопил Буш.

На французском корабле грот-стеньга медленно и важно наклонилась к носу, брам-стеньга тоже клонилась, еще под большим углом. Потом в дыму грот-мачта откачнулась к корме. Тут рушащаяся масса реев и парусов утратила всякую важность, на долю секунды зависла в воздухе S-образно и устремилась вниз, таща за собой фок- и крюйс-стеньги. Хорнблауэр с мрачным удовольствием думал, что в Росасе не удастся разыскать запасную мачту. Команда «Сатерленда», победно вопя, торопилась последний раз обстрелять противника — корабли быстро расходились. Через минуту пальба стихла, ветер унес дым, над обезображенной палубой засияло солнце.

За кормой недавний противник дрейфовал, волоча у борта сломанные мачты с парусами; на второй орудийной палубе погонное орудие торчало из порта под немыслимым углом — оно уж точно больше не выстрелит. В четверти мили впереди первый противник под всеми парусами мчался к Росасу, по французскому обыкновению, бросив товарищей на произвол судьбы. Дальше над горизонтом вздымались бездушные испанские горы, над золотистым пляжем белели крыши Росаса. «Сатерленд» был уже почти у входа в залив, на полпути между ним Росасом чернели на водной глади два гигантских жука — канонерские шлюпки шли на веслах из Росаса.

Со стороны покалеченного неприятеля приближались два других корабля: трехпалубник под вице-адмиральским флагом, двухпалубник в его кильватере. Надо было решаться.

— Эй, на мачте! — крикнул Хорнблауэр. — Флагман видите?

— Нет, сэр, только «Кассандру».

Ее жемчужно-белые марсели Хорнблауэр и сам видел на горизонте. Значит, «Плутон» и «Калигула» милях в двадцати и, похоже, заштилели. Легкий ветерок, который подгоняет «Сатерленд» к заливу, всего лишь морской бриз — день достаточно жаркий. Лейтон скорее всего не успеет на место сражения. Хорнблауэр может повернуть оверштаг и устремиться к безопасности, обойдя французов, если те попробуют ему помешать, а может преградить им путь. С каждой секундой они ближе к Росасу — решать надо быстро. Если он выберет бой, Лейтон, возможно, еще подоспеет — но шансы исчезающе малы.

«Сатерленд» разнесут в щепки, но достанется и неприятелю: французы не смогут выйти из Росаса в ближайшие дни или даже недели. В противном случае, пока британцы будут готовить атаку, они могут ускользнуть из Росаса, как ускользнули из Тулона — по крайней мере трое.

Хорнблауэр мысленно прикидывал, разумно ли жертвовать одним семидесятичетырехпушечным британским кораблем, чтобы наверняка уничтожить четыре французских. И тут понял, что это неважно. Уклонись он от боя, и до конца жизни будет подозревать себя в трусости — ему отчетливо представились годы и годы невыносимых угрызений. Он будет драться, разумно это или нет. И тут же понял, что да, разумно. Еще секунду он помедлил, глядя на голубое небо, которое любил, и судорожно сглотнул, собирая себя в кулак.

— Положите корабль на левый галс, мистер Буш, — сказал он.

Команда закричала «ура!»; несчастные глупцы, они радуются, что снова вот-вот сойдутся с неприятелем, хотя для половины из них это верная смерть. Хорнблауэр жалел — или презирал? — ослепленных жаждой славы матросов. Буш, судя по тому, как осветилось его лицо, недалеко ушел от остальных. Он хочет убивать французов потому что они французы; его не страшит перспектива остаться безногим калекой, если прежде он успеет покалечить нескольких лягушатников.

Ветер нес к ним изуродованный двухпалубник под контр-адмиральским флагом — и его, и всех, кого удастся покалечить, вынесет в залив, под защиту пушек. На палубе француза матросы вяло разбирали обломки. Увидев, что пушки «Сатерленда» направляются на них, они побросали работу и бросились врассыпную. Прежде чем корабли разминулись, «Сатерленд» дал три бортовых залпа, в ответ выстрелила лишь одна пушка. «Еще полсотни убитых французов для Буша, — зло подумалось Хорнблауэру, когда смолк грохот катков и притихшие матросы замерли в ожидании приказов. — Вот и трехпалубник, прекрасный под пирамидой парусов, грозный с рядами выдвинутых пушек». Даже сейчас Хорнблауэр с профессиональным интересом отметил заметный завал бортов — англичане такого не делают.

— Чуть под ветер, помалу, — сказал он рулевому. Сейчас он повиснет на французе, как бульдог. Медленно-медленно поворачивал «Сатерленд». Хорнблауэр видел, что его последний маневр будет выполнен так безукоризненно, как только можно желать. «Сатерленд» шел теперь в точности тем же курсом, что и противник. Корабли сближались. Их пушки, в ста ярдах друг от друга, одновременно оказались наведены и одновременно окутались дымом.

В предыдущих стычках время текло замедленно. Теперь оно ускорилось, адский грохот бортовых залпов не смолкал ни на секунду, бегущие в дыму люди, казалось, мечутся с невероятной быстротой.

— Ближе к неприятелю, — приказал Хорнблауэр рулевому. Последний приказ отдан, можно больше не думать, раствориться в безумии происходящего. Ядра взламывали палубу вокруг, доски разлетались в щепки. Как в страшном сне, Хорнблауэр видел: Бушу оторвало ступню, он падает, заливая палубу кровью. Двое матросов пытаются поднять его и унести вниз.

— Оставьте меня! — кричал Буш. — Пустите меня, сволочи!

— Унесите его, — приказал Хорнблауэр. Резкость его голоса вписывалась в общее безумие — на самом деле он радовался, что может отправить Буша вниз, где тот, возможно, останется живым.

Рухнула бизань-мачта — реи, блоки и тали падали рядом с Хорнблауэром, такие же смертоносные, как летящие извне ядра, но он был еще жив. Фор-марса-рей сорвался с боргов — сквозь дым Хорнблауэр видел, как Хукер с матросами лезет по вантам привесить его на место. Боковым зрением он видел: в дыму надвигается нечто огромное, непонятное. Это четвертый французский корабль приближался с другого борта, по которому еще не стреляли. Хорнблауэр понял, что машет шляпой и выкрикивает какую-то чепуху, матросы с криками «ура!» выдвигают пушки правого борта. Дым стал гуще, грохот оглушительнее, стреляли все орудия до одного, корабль сотрясался от отдачи.

Малыш Лонгли, чудом уцелевший после падения с крюйс-салинга, оказался рядом.

— Я не боюсь, я не боюсь, — повторял он трясущимися губами. Бушлат был порван на груди, и мальчик обеими руками стягивал прореху. Слезы в глазах опровергали его слова.

— Конечно, сынок, конечно, ты не боишься, — сказал Хорнблауэр.

И тут Лонгли не стало, только кровавое месиво на месте туловища и рук. Хорнблауэр отвернулся и увидел, что пушка на главной палубе не выдвинута. Он хотел было привлечь к этому внимание, но увидел — убитый расчет лежит рядом, и позвать больше некого. Скоро смолкнут и другие пушки. Ближайшую каронаду обслуживали всего трое — и следующую, и следующую за следующей тоже. На главной палубе морские пехотинцы разносили порох и ядра — наверное, Джерард распорядился, и, наверное, юнг почти всех поубивало. Если бы только прекратился этот адский шум, если бы только он мог думать!

Казалось, грохот, напротив, усилился. Фок и грот-мачты рухнули с оглушительным треском, перекрывшим на время даже звуки канонады. Паруса закрыли правый борт, теперь пушки здесь стрелять не могли. Хорнблауэр побежал на бак, где Хукер с прислугой закрытых парусами пушек рубил тросы. Грот-мачта в падении разбила лафет и смела орудийный расчет. Ядра с двухпалубника косили работающих людей, парусина загорелась от пушек и уже дымилась. Хорнблауэр выхватил из рук убитого топор и вместе с другими набросился на сплетение тросов. Когда разрублен был последний штаг и сползла за борт тлеющая масса, когда быстрый взгляд убедил Хорнблауэра, что дерево не загорелось, тогда только он вытер лоб и оглядел свой корабль.

На палубе грудами лежали мертвые тела и отдельные их части. Штурвала не было, мачты и фальшборты сбило до основания, на месте комингсов торчали одни щепки. Но те пушки, у которых оставалось хотя бы по несколько матросов, стреляли. По обоим бортам сквозь дым можно было разглядеть противника, однако трехпалубник лишился двух стеньг, двухпалубник — бизань-мачты; у обоих вместо парусов — клочья, такелаж изорван. Пальба не прекращалась. Под орудийный грохот Хорнблауэр дошел до шканцев, дивясь, как его не убило.

Порыв ветра смещал корабли, гнал трехпалубник к «Сатерленду». Хорнблауэр уже бежал на бак, чувствуя, что ноги налились свинцовой тяжестью и едва двигаются. Правая скула трехпалубника со скрежетом врезалась в левую скулу «Сатерленда». Французы сгрудились у борта, готовые прыгать. Хорнблауэр на бегу выхватил шпагу.

— Абордаж! — кричал он. — Всем отражать атаку! Эй, Кристел, Хукер! Отталкивайте неприятельское судно!

Трехпалубник навис над головой. Из-за фальшборта стреляли, пули ударяли о палубу рядом с Хорнблауэром. Люди с пиками и саблями карабкались по борту вниз, другие лезли из орудийных портов прямо на переходный мостик «Сатерленда». Хорнблауэра увлекла за собой волна британских моряков с тесаками и пиками, прибойниками и правилами. Все были голые по пояс, все почернели от порохового дыма, все толкались, сталкивались, спотыкались. Юркий французский лейтенантик в съехавшей на бок треуголке сбил Хорнблауэра с ног, навалился сверху, стиснул и принялся судорожно рвать из-за пояса пистолет.

— *Rends-toi!* [1] — выкрикнул он, наставляя дуло, но Хорнблауэр ударил его коленом в лицо — француз откачнулся назад и выронил пистолет.

Хукер и Кристел с матросами упирались в борт трехпалубника запасными реями, ветер тоже гнал его прочь. Корабли расходились. Кто-то из французов успел перепрыгнуть на свой корабль, кто-то прыгнул в море. Остальные — человек пять или шесть — бросали оружие. Один не успел — пика вонзилась ему в живот. Ветер гнал французские корабли от изувеченного «Сатерленда», уносил дым. Солнце засияло над обезображенной палубой, грохот пальбы стих, как по волшебству.

---

[1] Сдавайся! (*фр.*).

Хорнблауэр стоял со шпагой в руке. Матросы загоняли пленных в люк. Шум стих, но яснее в голове не стало — напротив, он ничего не соображал от усталости. Ветер вынес их в залив, «Плутон» и «Калигула» так и не появились — только «Кассандра» на горизонте беспомощно наблюдала за схваткой. Два французских корабля, почти такие же неуправляемые, как «Сатерленд», дрейфовали неподалеку. На борту трехпалубника Хорнблауэр различил черные разводы — это сочилась из шпигатов человеческая кровь.

Двухпалубник все разворачивался: вместо продырявленного борта Хорнблауэр увидел сперва корму, потом другой борт. Он тупо следил глазами, не задумываясь, что это значит. И тут оглушительно взревели пушки, и на «Сатерленд» обрушился бортовой залп. Щепки полетели от останца фок-мачты, рядом с Хорнблауэром колоколом бухнула пораженная ядром пушка.

— Довольно! — бормотал Хорнблауэр. — Бога ради!

Обессилевшие моряки кое-как вставали к пушкам. Джерарда нигде не было, но Хукер — молодец мальчик! — распределял оставшихся людей. Однако навести орудия не было никакой возможности, а люди валились от усталости. Еще бортовой залп — ядра прочесывали палубу, круша все на своем пути. Хорнблауэр слышал как бы тихий подголосок к грохоту неприятельских орудий — это стонали по всему кораблю сваленные где попало раненые. Канонерские лодки на веслах осторожно подбирались к корме. Скоро они начнут стрелять в ватерлинию сорокадвухфунтовыми ядрами. Солнце, синее небо, синее море, зеленовато-серые испанские холмы, золотой песок и белые домишки Росаса — Хорнблауэр смотрел, и смотреть ему было больно.

Еще бортовой залп — рядом с Хукером убило двоих.

— Флаг, — сказал Хорнблауэр сам себе. — Мы должны спустить флаг.

Но на «Сатерленде» не осталось флага, нечего было спускать, и Хорнблауэр по пути на шканцы напряженно думал, как тут выкрутиться. Громко ухнула сорокадвухфунтовка одной из канонерок, палуба под Хорнблауэром содрогнулась. Хукер был на шканцах, с ним Кристел и плотник Хауэлл.

— Четыре фута воды в льяле, — сказал последний. — Помпы разбиты все.

— Да, — сказал Хорнблауэр без всякого выражения. — Я капитулирую.

Он прочел одобрение на серых лицах своих офицеров, но больше ни слова не произнес. Если бы «Сатерленд» затонул вместе с ними, это решило бы все проблемы, однако надеяться на такой простой исход не приходилось. Под безжалостным, обстрелом он будет постепенно, палуба за палубой, наполняться водой. Может быть, они будут тонуть сутки — тогда их раньше внесет под пушки Росаса. Остается капитулировать. Хорнблауэр вспомнил других британских капитанов в сходных обстоятельствах. Томсон на «Леандре», капитан «Быстроходного» и тот несчастный из эскадры Сомареса в Альхесирасском заливе — все они спустили флаг после долгого и неравного сражения.

С двухпалубника что-то кричали — слов Хорнблауэр не разобрал. Наверное, предлагают сдаваться.

— *Oui!* — закричал он. — *Oui!*

Вместо ответа громыхнул новый бортовой залп. Снизу донеслись треск древесины, крики.

— О господи! — сказал Хукер.

Хорнблауэр понял, что его спрашивали о чем-то другом, и тут же его осенило. На негнущихся ногах он сбежал вниз, в неописуемый хаос того, что осталось от его каюты. Матросы у пушек отупело смотрели, как он разгребает обломки. Наконец он нашел, что искал, и выбежал на палубу с охапкой пестрой материи.

— Вот, — сказал он, отдавая ее Кристелу и Хауэллу. — Перебросьте через борт.

То был трехцветный французский флаг, изготовленный по его приказу, чтобы обмануть гарнизон Льянцы. При виде флага матросы в канонерских лодках взялись за весла и двинулись к борту. Хорнблауэр ждал с непокрытой головой. Они заберут у него наградную шпагу. А другая наградная шпага заложена в лавке у Дуддингстона — он никогда ее не выкупит. Карьера его кончена. Разбитый остов «Сатерленда» с триумфом отбуксируют в Росас — когда еще средиземноморский флот соберется за него отомстить, отбить у врага или сжечь вместе с искалеченными победителями на огромном погребальном костре? Впереди долгие годы плена — увидит ли он когда-нибудь ребенка, которого родит ему Мария? Леди Барбара прочтет в газетах, что он сдался на милость неприятеля — что подумает она? Но солнце пекло голову, и он очень, очень устал.

ПОСЛЕСЛОВИЕ

Появлению второй книги о капитане Хорнблауэре предшествовала детективная история.

Первую славу Форестер завоевал как автор психологических триллеров. «Возмездие в рассрочку» (1926) и «Чистое убийство» (1930) пользуются успехом до сих пор, а первый из них вошел в список девяноста девяти лучших детективов, по версии «Санди Таймс». После «Все по местам!» должен был выйти еще один криминальный роман; рукопись (как издатели по традиции называют машинописный экземпляр) лежала у английского и американского издателей, которые готовились вот-вот запустить ее в печать.

Когда Форестер понял, что будет писать второй роман о Хорнблауэре, он написал издателям, что печатать эту книгу не надо — он не хотел, чтобы между первым и вторым томом влезло что-то постороннее.

«Оглядываясь на то время, я дивлюсь собственному легкомыслию, — рассказывал Форестер позже в «Спутнике Хорнблауэра». — Издатели отнеслись к делу куда серьезнее. Помню длинную телеграмму из Бостона, где по пунктам излагались возражения, но она пришла, когда я уже сел писать «Линейный корабль» и не мог вникать ни в какие практические вопросы. Я был в другом мире; как всегда в начале книги, она обещала быть несравненно лучше предыдущей — какая разница, что станется с каким-то ненужным и уже наполовину забытым романом? <...> Вполне возможно, что экземпляры сохранились и пылятся в

Бостоне и Блумсбери; со временем кто-нибудь наткнется на них и мельком удивится, что это за кипы машинописных листов. Мне все равно — пусть мои литературные душеприказчики думают, что с ними делать».

Так или иначе, чтобы успокоить издателей, Форестер пообещал закончить «Линейный корабль» быстро — к тому времени, когда планировалось выпустить детективный роман.

Действие новой книги должно было происходить в Испании. Форестер недолгое время пробыл в этой стране, где в то время бушевала гражданская война. Он поехал туда в качестве корреспондента консервативной газеты и, видимо, должен был освещать события со стороны франкистов, но об этом периоде его жизни практически ничего не известно. В «Спутнике Хорнблауэра» он ограничился всего несколькими фразами: «По счастью, не надо входить в подробности того, что я там увидел. Довольно сказать, что это были крайне тяжелые дни, во время которых я не мог думать ни о чем, кроме происходящего вокруг. Все являло резкий и страшный контраст картонным драмам и наигранным страстям Голливуда; я вернулся в Англию глубоко потрясенный и морально выжатый».

Тем не менее в Испании Форестер на каждом шагу вспоминал то, что читал о 1808—1814 годах, когда испанцы не приняли Жозефа Бонапарта, которого Наполеон хотел сделать их королем, но начали партизанскую войну и при поддержке британской армии под командованием Веллингтона в конце концов победили. В определенной степени события на Пиренейском полуострове предвосхитили то, что позже произошло в Росси: Наполеон захватил столицы обеих стран, но не смог покорить народ. В 1937 году в Испании Форестер видел те героические черты испанского характера, из-за которого эта страна стала для Наполеона «кровоточащей язвой», видел множество аналогий между прошлым и настоящим и, разумеется, не мог не вспоминать о роли, которую сыграли в той давней войне британские армия и флот.

У него уже были две книги про Пиренейскую войну: «Смерть французам» и «Пушка» (обе изданы в 1932-м). Это очень тяжелая военно-историческая проза, совсем не похожая на Хорнблауэровский цикл, вернее, похожая на самые мрачные его страницы, например, на те, что связаны с Эль-Супремо. В «Смерти французам» британский солдат Мэтью Додд в 1810 году оказывается отрезан от своих и становится вожаком партизанского отряда; в «Пушке» главная героиня — восемнадцатифунтовая бронзовая полевая пушка, брошенная испанской регулярной армией при отступлении и попавшая в руки партизан. (С первой из этих двух книг связан занятный исторический эпизод, который просто невозможно не рассказать. Уинстон Черчилль, большой поклонник Форестера, во время франко-американо-британской Бермудской конференции 1953 года не только увлеченно читал «Смерть французам», но и ухитрился оказаться на фотографиях для прессы с раскрытой книгой, на которой явственно читался заголовок. Учитывая, что у него были серьезные причины для недовольства французскими партнерами, намек выглядел вполне недвусмысленно.)

Тогда, в 1937 году, Форестера больше занимал флот. Оправившись от пережитых ужасов и вернувшись к нормальной жизни, он внезапно обнаружил, что у него придумалась целая череда разрозненных пока эпизодов с подвигами британского флота у побережья Испании. Он чувствовал, что из них может получиться книга. Но кто совершит эти подвиги, если не герой предыдущей книги, капитан Горацио Хорнблауэр? Даты как раз сходились — он успевал получить линейный корабль и отправиться в Испанию.

Один эпизод той войны особенно увлек Форестера. В 1808—1809 годах перед Бонапартом встала задача: как снабжать гарнизон Барселоны, практически осажденной повстанцами. По дорогам вести провиант было почти невозможно, и он отправил из Тулона эскадру под командованием генерала Космао. Она была перехвачена британской эскадрой под командованием генерала Мартина и уничтожена. Этот эпизод должен был стать кульминацией нового романа: французская эскадра прорывается к Барселоне, и Хорнблауэр на своем корабле преграждает ей путь и терпит героическое поражение. Форестер чувствовал, что герой не должен быть слишком успешным: роману предстояло закончиться крахом его военной карьеры и разлукой — по крайней мере до конца войны — с Марией и с Барбарой.

С радостным предвкушением писатель обнаруживал все новые и новые заманчивые перспективы будущей книги. «Надо будет вести Марию; до сих пор она лишь упоминалась, теперь предстояло по намекам воссоздать живую личность, как палеонтолог по единственной кости восстанавливает в голове целого динозавра, — задача невероятно увлекательная в своей сложности. И Барбара — она обязательно должна появиться. Я нуждался в ней так же остро, как Хорнблауэр. И это можно было устроить довольно легко. Ничуть не удивительно, если Барбара, вернувшись в Англию, выйдет за адмирала. Точно так же не удивительно, если этот адмирал, при поддержке клана Уэлсли, получит место главнокомандующего эскадрой, которая отправится к берегам Испании. И вполне естественно, что Барбара обратит внимание мужа на таланты Хорнблауэра. Она их видела и наверняка сохранила к нему какие-то чувства, несмотря на все, что между ними произошло. Он только что вернулся из плавания, а тут как раз формируется эскадра для действий у Испанского побережья — все складывалось. Я придумал телегу раньше лошади, но знал, что в романе лошадь без труда займет место впереди телеги».

Теперь, когда у романа было начало: Хорнблауэр снаряжает корабль, и финал: бой с французской эскадрой, остальные части головоломки без усилий встали на место. Это были придуманные раньше эпизоды: уничтожение конвоев, взрывы сигнальных станций, помощь испанским партизанам, расстрелы марширующих по берегу колонн, вылазки на побережье.

«Линейный корабль» был написан в лихорадочной спешке — за три месяца — во-первых, потому что автор уже назвал издателям срок, во-вторых, потому что ему самому не терпелось это написать. О том, с какими чувствами создавалась книга, свидетельствует следующий рассказ:

«Я обедал в армянском ресторане — усталость от работы еще не накрыла меня настолько, чтобы отбить вкус к еде — и заказал шеш-кебаб. Его принесли: кусочки сладкого перца, баранины, грибов, лука — штук двадцать или больше на шампуре. Движение ножа — и все они оказались горкой у меня на тарелке. Покуда я сидел и смотрел на них, мне в голову пришла аналогия. Книга, которую я начал писать (и о которой я невольно думал постоянно, чем бы ни занимался), будет примерно такой же. Шлюпочные экспедиции, битвы за конвои, высадки на берег станут перцем, луком и кусочками баранины. А что будет шампуром, удерживающим их вместе и придающим всему смысл? Корабль его величества «Сатерленд» под командованием своего прославленного капитана. Думаю, в те минуты и начала складываться моя привязанность к этому кораблю: я понял, что должен буду сдерживаться в его описаниях, чтобы не впасть в сантименты. И даже сегодня, двадцать лет спустя, вид шеш-кебаба на шампуре неизменно вызывает перед моим мысленным взором трехмерную картину: синее небо, жаркое солнце, «Сатерленд» под малыми парусами спешит к месту рандеву у мыса Паламос. Сантименты, шеш-кебаб и «Сатерленд» для меня соединены нераздельно».

«Линейный корабль» был закончен в срок, отправлен издателям и вышел ровно через год после первого романа о Хорнблауэре. А через три четверти века нашелся утраченный детективный роман, снятый ради него с публикации. В 2002 году на аукционе Кристи давний поклонник Форестера Лоуренс Брюер и соучредитель Форесторовского общества Колин Блогг приобрели, всего за полторы тысячи фунтов, старую рукопись Форестера и обнаружили, что это та самая пропавшая книга! В 2012 году, с семидесятичетырехлетним опозданием, она наконец вышла в свет. Как написал Форестер по другому поводу, жизнь иногда оказывается причудливее вымысла.

Е. Доброхотова-Майкова

1 — Встреча с «Калигулой» у мыса Паламос. 2 — Мыс Креус: захват «Амелии». 3 — Льянца: штурм батареи. 4 — Пор-Вандр: захват вражеских судов. 5 — Лагуна Вик: поджог каботажного судна. 6 — Аренс-де-Мар: встреча с полковником Вильеной. 7 — Обстрел войск на прибрежной дороге. 8 — Встреча с флагманом. 9 — Шторм у мыса Креус: «Плутон» лишился мачт. 10 — Сильва-де-Мар: выгрузка осадной артиллерии. 11 — Место, где с «Кассандры» заметили французов. 12 — Положение остальных судов британской эскадры. 13 — Начало сражения между «Сатерлендом» и французской эскадрой. 14 — Окончание сражения.

КРАТКИЙ МОРСКОЙ СЛОВАРЬ

Ахтерлюк — отверстие в палубе позади грот-мачты для погрузки грузов в кормовой трюм корабля.

Бак — носовая часть палубы от форштевня до фок-мачты.

Бакштаг — 1. Одна из снастей стоячего такелажа, поддерживающих с боков рангоутные деревья. Бакштаги идут вбок и несколько назад. 2. Курс судна относительно ветра — ветер дует с кормы и в борт (диаметральная плоскость судна образует с линией ветра угол больше 90° и меньше 180°). Делится на полный бакштаг (ближе к 180°), собственно бакштаг и крутой бакштаг (ближе к 90°).

Банка — скамья на шлюпке.

Банник — цилиндрическая меховая щетка на длинном древке, которой тушили остатки тлеющего картуза и прочищали — банили — пушку.

Баркас — самая большая шлюпка, имеющая от 14 до 22 весел и парусное вооружение, служила для перевозки большого числа команды, тяжелых грузов и высадки десанта.

Баталер — начальник интендантской части.

Бейдевинд — курс парусного судна, образующий с направлением встречного ветра угол меньше 90°.

Бизань — косой парус, ставящийся на бизань-мачте.

Бизань-мачта — задняя мачта у судов, имеющих три и более мачты.

Бикхед — переборка в носовой части парусных судов, у которых бак не доходит до форштевня.

Бимс — балка, соединяющая борта корабля и служащая основанием для палубы.

Блинд — парус, который ставили под бушпритом. Привязывался к блинда-рею.

Бом — слово, прибавляемое ко всем парусам, снастям, рангоутным деревьям и такелажу, принадлежащим бом-брам-стеньге.

Бом-брам-стеньга — рангоутное дерево, служащее продолжением вверх брам-стеньги.

Боцман — старший унтер-офицер, ведающий судовыми работами.

Боцманмат — помощник боцмана.

Брамсель — прямой парус, поднимаемый по брам-стеньге над марселем.

Брам-стеньга — рангоутное дерево, служащее продолжением вверх стеньги.

Брандеры — старые, отслужившие свой век суда, которые наполняли горючим материалом и пускали с наветренной стороны на неприятельские суда.

Брасопить рей — поворачивать его в горизонтальной плоскости с помощью брасов.

Брасы — снасти бегучего такелажа, прикрепленные к нокам реев и служащие для поворота их, вместе с парусами, в горизонтальной плоскости.

Брать рифы — убавить парус, зарифить его.

Брашпиль — якорная машина с горизонтальным валом для подъема якорей.

Бриг — двухмачтовое парусное судно.

Бриз — ветер, дующий вследствие неравномерности нагревания суши и воды днем с моря на сушу, а ночью с суши на море.

Брюк — толстый трос, которым пушку крепили к боковым стенкам пушечных портов.

Булинь — снасть, которой растягивают середину наветренной стороны прямых парусов и вытягивают на ветер наветренную шкаторину. Этот маневр нужен, когда идут в крутой бейдевинд.

Бушприт — горизонтальное или наклонное рангоутное дерево, выдающееся с носа судна.

Бухта троса или снасти — трос или снасть, свернутые кругами.

Ванты — части стоячего такелажа, которыми укрепляются мачты, стеньги и брам-стеньги.

Ватерлиния — кривая, получаемая при пересечении поверхности корпуса судна горизонтальной плоскостью, соответствующей уровню воды.

Ватерштаг — толстые железные прутья или цепи, притягивающие бушприт к форштевню.

Вахтенная доска (траверса) — доска с высверленными отверстиями, на которой при помощи деревянных стержней каждые полчаса отмечали курс по компасу, скорость по лагу и проч.

Верповать — тянуть судно посредством верпа, то есть небольшого вспомогательного якоря. Самый большой из верпов называется стоп-анкером.

Вестовой — матрос, прислуживающий в кают-компании или офицеру.

Ветер заходит — становится круче; отходит — становится попутнее.

Винград — выступающая часть на казне орудия.

Выбирать — тянуть, подтягивать.

Выбленки — ступеньки вант.

Вымбовка — деревянный рычаг, служащий для вращения шпиля.

Гакаборт — верхняя закругленная часть кормы.

Галеон — большое морское судно, имевшее четыре больших и одну мощную наклонную мачту. Огромные, неуклюжие, тихоходные галеоны, перевозившие сокровища из Нового Света в Испанию, были лакомой добычей для англичан со времен Фрэнсиса Дрэйка и Томаса Кавендиша.

Галс — 1. Курс судна относительно ветра. Если ветер дует в левый борт, судно идет левым галсом, если в правый, то правым. 2. Снасти, или тали, которые растягивают нижний угол паруса к наветренному борту. Косые паруса все имеют галсы, а из прямых галсы есть только у нижних парусов, то есть у тех, нижние углы которых не растягиваются по рею. Смотря по парусу, к которому галс прикреплен, он и получает свое название; так, например, фока-галс растягивает нижний наветренный угол фока. Садить галс — значит, тянуть галс.

Галс-кламп — отверстие в фальшборте парусного судна, через которое проводится галс паруса.

Гардаман — кожаный ремешок на руку, к которому крепится круглая металлическая пластинка, называемая парусным наперстком. Применяется при сшивании парусины.

Гик — горизонтальное рангоутное дерево, прикрепленное к мачте на небольшой высоте над палубой и обращенное свободным концом к корме судна. К гику пришнуровывается нижняя шкаторина косого паруса.

Гитовы — снасти бегучего такелажа, служащие для уборки парусов.

Гичка — командирская шлюпка.

Главная палуба — третья снизу палуба на больших кораблях.

Горбыли — толстые широкие железные полоски, которыми покрывают цапфы орудий, чтобы последние не выскакивали при выстреле из цапфенных гнезд.

Гордень — снасть, проходящая через неподвижный одношкивный блок.

Грот — 1. Нижний прямой парус на грот-мачте. 2. Составная часть названий парусов, рангоута и такелажа, расположенных выше марса грот-мачты.

Грота — составная часть названий всех парусов, рангоута и такелажа, принадлежащих грот-мачте ниже марса.

Грот-мачта — вторая мачта, считая с носа.

Дифферент — разность углубления носом и кормой; если разность в сторону углубления кормой, говорят, что судно имеет дифферент на корму; в противном случае судно имеет дифферент на нос.

Дульная пробка — устройство, предохраняющее канал орудия от попадания брызг, пыли и т. п.

Дэннаж — груз.

Загребной — гребец, сидящий на шлюпке первым от кормы; по нему равняются все остальные.

Запальное отверстие — находится в казенной части пушки, через него зажигают порох при стрельбе.

Зарифить — уменьшить площадь паруса с помощью завязок (риф-сезней), расположенных рядами на парусах.

Кабалярин — строп, сделанный из троса. Обносится (наматывается) на шпиль и к полученному таким образом бесконечному тросу присезневают выбираемый якорный канат, не обнося его на шпиль.

Каботажное судно — судно, осуществляющее перевозки вдоль берега.

Казенная часть, казна — задняя часть ствола.

Камбуз — место для приготовления пищи на судне.

Канатный ящик — помещение, в котором на судне хранится якорный канат.

Капер — частное лицо, получившее от правительства патент на право вооружить судно и захватывать вражеские корабли и товары; капером назывался и сам корабль, и его капитан.

Кат — тяга, которой якорь, показавшийся при подъеме его из-под воды, подымается на крамбол.

Каронада — короткая чугунная пушка.

Картель — зд.: соглашение об обмене пленными.

Картуз — зд.: мешок с зарядом пороха для пушки.

Кают-компания — общая каюта, где собираются офицеры.

Киль-блоки — две подставки из дерева, вырезанные по форме днища шлюпки. На них устанавливаются шлюпки.

Кильватерный строй — строй, когда корабли идут один за другим.

Кливер — один из передних треугольных косых парусов, ставился впереди фок-мачты.

Клюз — сквозное отверстие, служащее для пропускания тросов и якорных канатов.

Кнехты — тумбы для крепления швартовых или буксирных концов.

Кокпит — кормовая часть самой нижней палубы.

Колдунчик — флюгарка для определения направления ветра: матерчатый конус со вставленным в основание обручем либо пучок перьев на штоке.

Комингс — окаймление на палубе по периметру люка.

Кофель-нагель — деревянный или металлический болт, на который навертывают снасти.

Корвет — трехмачтовое военное судно с открытой батареей. Носил ту же парусность, что и фрегат, предназначался для посылок и разведок.

Кошка — 1. Металлический крюк на веревке. 2. Девятихвостая плеть для телесных наказаний.

Кранцы — крепкие кругляши из дерева, которые препятствуют непосредственному соприкосновению судна со стеной набережной и смягчают таким образом сильные удары.

Крюйс — слово, означающее, что части рангоута, такелажа и паруса, перед названием которых оно стоит, принадлежат к бизань-мачте выше ее марса.

Крюйсель — парус, поднимаемый на крюйс-стеньге.

Купор — корабельный бочар.

Лаг — прибор для определения скорости судна. Он представляет собой доску треугольной формы (сектор) с привязанной к ней веревкой (линем, лаглинем) и грузом. На лине на одинаковом расстоянии друг от друга завязываются узлы. Доска выбрасывается за корму и пересчитывается количество узлов, ушедших за борт за определенное время (обычно 15 секунд или 1 минуту). Отсюда пошло измерение скорости судна в узлах, 1 узел численно равен 1 морской миле в час.

Латинский парус — треугольный парус, который пришнуровывался своей верхней шкаториной к длинному составному рейку, поднимавшемуся наклонно, то есть его задний угол был высоко поднят, а передний опущен почти к палубе. Это один из древнейших видов парусов, дошедший до наших дней почти без изменения.

Левентик — положение парусного судна носом прямо или почти прямо против ветра, когда его паруса полощут, но не наполняются ветром.

Леерное ограждение состоит из туго натянутого троса — леера, который проходит через отверстия в леерных стойках, укрепленных вертикально на палубе. Устанавливается на судне в местах, не имеющих фальшборта.

Лечь в дрейф — поставить паруса в такое положение, чтобы часть их давала тягу вперед, часть — назад, и судно удерживалось бы на месте.

Ликтрос — мягкий трос, которым для прочности обшиваются кромки парусов.

Линейный корабль — трехмачтовое военное судно, несущее от 80 до 120 пушек и предназначенное для боя в кильватерном строю.

Линёк — короткая веревка, с палец толщиной, с узлом на конце, для наказания матросов.

Линь — тонкий трос.

Лисели — паруса, употребляемые в помощь прямым парусам при попутных ветрах, ставятся по бокам этих парусов на особых рангоутных деревьях — лисель-спиртах.

Лихтер — небольшое транспортное судно.

Лот — свинцовый груз, служащий для измерения глубины.

Льяло — помповый колодец.

Люгерный парус — косой парус, поднимавшийся на выдвижной стеньге — рейке.

Люгер — быстроходное двухмачтовое судно.

Люк — отверстие в палубе для спуска вниз.

Марс — площадка на мачте и месте ее соединения со стеньгой.

Марса — приставка, означающая принадлежность следующего за ней понятия к марселю или марса-рею.

Марса-рей — второй снизу рей, к которому привязывается марсель.

Марсель — прямой парус, ставящийся между марса-реем и нижним реем.

Мачта — вертикальное или слегка наклоненное к корме рангоутное дерево, установленное в диаметральной плоскости судна.

Найтовить — связывать, обвивая тросом, два или несколько предметов. Трос при этой связке называется найтов.

Нактоуз — деревянный шкафчик, на котором установлен компас.

Ноки — концы всех реев, задние концы гиков, верхние концы гафелей и др.

Обрасопить рей — повернуть его так, чтоб один нок пошел вперед, другой — назад.

Отдать паруса — распустить сезни, которыми они были привязаны.

Обстенить парус — положить его на стеньгу, то есть повернуть так, чтобы ветер дул в его переднюю сторону. При этом судно будет иметь задний ход.

Оплетка — конец снасти, заплетенной особым способом для предотвращения его от развивки. Обычно оплетками разделываются концы всего бегучего такелажа; кроме того, оплетками покрывают сплесни на такелаже и стропах блоков, оплетают фалрепы и пр.

Отдать рифы — отвязать риф-сезни и увеличить парусность.

Отдать снасть — отвернуть снасть с кнехта или с нагеля, где она была завернута, или выпустить ее из рук, если она была в руке.

Отдать якорь — опустить якорь в воду.

Пальник — древко, на конце которого закреплялся фитиль.

Палы — откидные стопоры, насаживаемые на нижнюю часть баллера шпиля.

Пассаты — устойчивые восточные ветры, с составляющей, направленной к экватору, дующие в пассатной зоне между 30° с.ш. и 30° ю.ш.

Пеленг — горизонтальный угол между северной частью меридиана наблюдателя и направлением из точки наблюдения на объект, измеряемый по часовой стрелке от 0° до 360°; то же, что азимут.

Перты — закрепленные под реями тросы, на которых стоят работающие на реях люди.

Переборка — всякая вертикальная перегородка на судне.

Планширь — брус, покрывающий верхние концы шпангоутов вдоль всей шлюпки, с гнездами для уключин.

Поворот оверштаг — поворот на парусном судне, при котором оно пересекает линию ветра носом.

Поворот через фордевинд — поворот судна, при котором оно пересекает линию ветра кормой.

Погонное орудие — артиллерийское орудие, могущее стрелять прямо по курсу.

Подштурман — помощник штурмана.

Полубак — надстройка в носовой части судна, идущая от форштевня.

Полуют — надстройка в кормовой части судна.

Порт — отверстие в борту судна.

Правила — длинные рычаги, посредством которых можно было поднять казенную часть, чтоб подложить под нее деревянные подъемные клинья, а также производить незначительное боковое движение орудия.

Прибойник — цилиндрический поршень на длинном древке, которым досылали и уплотняли картуз.

Приводить к ветру — брать курс ближе к линии ветра, ближе к крутому бейдевинду. Если судно, изменяя свой курс, приближается к линии ветра, говорят, что оно приводится (идет круче, поднимается), а если его нос удаляется от этой линии — идет полнее, уваливается.

Приз — военная добыча, неприятельское судно или груз его, из которого победители получали свою долю, так называемые призовые деньги.

Путенс-ванты — связи, идущие от вант из-под марса к боковым его кромкам; служат для укрепления кромок марса и не дают ему выгибаться вверх от тяги стень-вант.

Раздернуть снасть — полностью отпустить, ослабить снасть.

Пыжовник — длинный скребок для чистки канала ствола.

Раковина — боковой срез в кормовой части палубы.

Рангоут — общее название всех деревянных приспособлений для несения парусов.

Рей — круглое рангоутное дерево, которое служит для несения парусов.

Решетчатый люк — решетчатая рама из брусков или реек, прикрывающая сверху люк.

Риф — горизонтальный ряд продетых сквозь парус завязок, посредством которых можно уменьшить его поверхность. У марселей бывает их четыре ряда, у нижних парусов — два.

Рубка — всякого рода закрытые помещения на верхней или на вышележащих палубах, не доходящие до бортов судна, с окнами в переборках (в том числе жилые).

Руль — вертикальная пластина, поворачивающаяся на оси в кормовой подводной части судна.

Румб — одно из тридцати двух делений компаса, равное 11,25°.

Румпель — рычаг, насаженный на голове руля. С его помощью осуществляется перекладка руля.

Руслени — площадки по наружным бортам судна, служащие для отводки вант.

Салинг — рама из продольных и поперечных брусьев, устанавливаемая на топе стеньги в месте соединения со следующей стеньгой.

Сезень — снасть в виде пояса для прихватывания парусов к реям.

Сей-тали — тали, основанные между двухшкивным и одношкивными блоками. Применяются для обтягивания стоячего такелажа и для подъема грузов.

Склянки — 1. Удары в колокол через получасовой интервал. Счет начинается с полудня: 12:30 — один удар, 13:00 — два удара, и так до восьми ударов, тогда счет начинается сначала. 2. Песочные часы.

Скула судна — место наиболее крутого изгиба борта, переходящего либо в носовую часть (носовая скула) — либо в кормовую часть (кормовая скула).

Собачья вахта — полувахта с 16 до 18 часов и с 18 до 20. Полувахты были введены для того, чтобы одно и то же лицо не стояло вахту в одно и то же время.

Сплеснить — соединить без узла два конца вместе, пропуская пряди одного в пряди другого.

Стень — сокращение от «стеньга», составная часть всех деталей, принадлежащих стеньге.

Стеньга — рангоутное дерево, служащее продолжением вверх мачты.

Суши весла! — команда, по которой на шлюпке вынимают весла из воды и держат параллельно последней, выровняв их лопасти.

Табанить — двигать весла в обратную сторону.

Такелаж — все снасти на судне. Делится на стоячий, который поддерживает рангоутное дерево, и бегучий, который служит для подъема и разворачивания рангоутных деревьев с привязанными к ним парусами.

Тали — система тросов и блоков для подъема тяжестей и натягивания снастей.

Твиндек — междупалубное пространство.

Тендер — относительно большое одномачтовое судно.

Топенант — снасть бегучего такелажа, прикрепленная к ноку рея и служащая для его удержания в той или иной плоскости.

Траверз — направление, перпендикулярное к курсу судна.

Травить — ослаблять снасть.

Трап — всякая лестница на судне.

Трос — общее название всякой веревки на корабле.

Трюм — самая нижняя часть внутреннего пространства судна, расположенная между днищем и нижней палубой.

Узел — единица скорости судна, соответствующая одной морской миле в час.

Утка — точеная деревянная планка или отливка, закрепленная неподвижно и служащая для крепления тонких тросов.

Уорент-офицер — категория командного состава между офицером и унтер-офицером.

Фал — снасть бегучего такелажа, служащая для подъема рангоутных деревьев (реев, гафелей), парусов, кормового флага и т. д.

Фалреп — тросы, заменяющие поручни у входных трапов судна.

Фалрепный — матрос из состава вахтенного отделения, назначаемый для встречи прибывающих на корабль начальствующих лиц и провода их.

Фальконет — небольшое огнестрельное чугунное орудие с цилиндрическим каналом и конической камерой с полушарным дном.

Фальшборт — легкое ограждение открытой палубы.

Фок — нижний парус на первой от носа мачте.

Фока — составная часть названия всех парусов, рангоута и такелажа, принадлежащих фок-мачте выше фор-марса.

Фок-мачта — первая, считая от носа, мачта.

Фордевинд — ветер, дующий прямо в корму корабля; идти на фордевинд — идти с полным ветром.

Фордун — снасть стоячего такелажа, являющаяся креплением стеньг. Нижние концы фордунов крепятся к бортам судна, позади вант и бакштагов.

Форштевень — продолжение киля судна спереди, образующее нос корабля.

Фрегат — трехмачтовый военный корабль, второй по размеру после линейного. Был остойчивее линейного корабля, имел более высокие мачты, большую парусность и превосходил его по ходу, однако нес меньше артиллерии.

Цапфы — небольшие выступы цилиндрической формы на середине орудийного ствола, вставлявшиеся в цапфенные гнезда лафета.

Шабаш! — по этой команде гребцы вынимают весла из уключин и кладут их в лодку.

Швартов — трос, которым судно привязывается к другому судну или к берегу.

Шверцы — щиты в виде овальных крыльев (плавников), спускающиеся в воду и закрепляемые снаружи бортов небольших парусных судов.

Шебека — небольшое судно с сильно выдвинутым форштевнем и далеко выступающей палубой. Использовались преимущественно корсарами северного побережья Африки.

Шканцы — часть верхней палубы между грот- и бизань-мачтами.

Шкафут — часть верхней палубы от фок- до грот-мачты.

Шкив — колесо, сидящее на валу, непосредственно принимающее или передающее усилие с помощью ремня или каната. Шкивы были деревянными.

Шкимушка — мягкая бечевка, ссученная вдвое из каболки (пряжи) ветхого каната.

Шкоты — снасти бегучего такелажа, которые растягивают нижние углы парусов или вытягивают назад шкотовые углы треугольных парусов.

Шлюп — маленькое судно, больше брига, но меньше корвета.

Шпигаты — сквозные отверстия в борту или палубе судна для стока воды.

Шпиль — якорная машина с вертикальным валом, служащая для выбирания якорей. Шпили были деревянные и вращались вручную.

Шпринг — трос, заведенный в скобу станового якоря или взятый за якорь-цепь, другим концом проведенный на корму, для удержания судна в заданном положении.

Штаг — снасти стоячего такелажа, поддерживающие в диаметральной плоскости вертикальные рангоутные деревья — мачты, стеньги и пр.

Штормовые паруса — специальные косые нижние паруса, которые ставятся во время шторма.

Шхуна — парусное судно, имеющее не менее двух мачт и несущее на всех мачтах косые паруса.

Эзельгофт — деревянная или металлическая соединительная обойма с двумя отверстиями. Одним отверстием надевается на топ мачты или стеньги, а во второе выстреливается (пропускается) стеньга или брам-стеньга.

Якорь плавучий — спущенный за борт парусиновый конус со стропами или парус, раскрепленный на длинном древке. Служит для уменьшения дрейфа.

Ял — небольшая служебная судовая шлюпка.

ТАБЛИЦА ПЕРЕВОДА МЕР

1 морская лига = 3 морских мили = 5,56 км

1 морская миля = 10 кабельтовых = 1,852 км

1 кабельтов = 10 морских саженей = 680 футов

1 морская сажень = 6 футов = 2 ярда = 1,83 м

1 ярд = 3 фута = 91,44 см

1 фут =12 дюймов = 30,48 см

1 дюйм = 2,54 см

1 галлон = 4 кварты = 8 пинт = 4,546 л

1 кварта = 2 пинты = 1,14 л

1 пинта = 0,57 л

1 фунт = 453,59 г

1 узел = 1 миля в час, или 0,514 м/сек

1 английский центнер = 50 кг

Литературно-художественное издание

HORNBLOWER

Форестер Сесил Скотт

ЛИНЕЙНЫЙ КОРАБЛЬ

Выпускающий редактор *В.Ф. Матющенко*
Художник *Ю.М. Юров*
Корректор *Л.В. Суркова*
Верстка *И.В. Резникова*
Художественное оформление *М.Г. Хабибуллов*

ООО «Издательство «Вече»

Адрес фактического местонахождения:
127566, г. Москва, Алтуфьевское шоссе, дом 48, корпус 1.
Тел.: (499) 940-48-70 (факс: доб. 2213), 940-48-71.

Почтовый адрес:
129337, г. Москва, а/я 63.

Юридический адрес:
129110, г. Москва, ул. Гиляровского, дом 47, строение 5.

E-mail: veche@veche.ru
http://www.veche.ru

Подписано в печать 27.03.2014. Формат 84×108 $^1/_{32}$.
Гарнитура «Georgia». Печать офсетная. Бумага офсетная.
Печ. л. 9. Тираж 3000 экз. Заказ № 8608.

Отпечатано в ООО "Тульская типография"
300600, г. Тула, пр. Ленина, 109.